Le régime hollywood

JUDY MAZEL

Le régime hollywood

Santé et minceur en 6 semaines

LIBRE EXPRESSION

Le titre original de cet ouvrage est
THE BEVERLY HILLS DIET
traduit de l'américain par
Reine LUCAS

Dépôt légal:
1er trimestre 1983

ISBN 2-89111-269-7

Sommaire

Présentation

Une nouvelle étoile est née au firmament de Hollywood. Si son nom n'étincelle pas en lettres de néon aux frontons des cinémas, il n'en est pas moins célèbre de New York à Los Angeles, de Dallas à Chicago, de Washington à Philadelphie. Ce nom, vous l'avez lu sur la couverture de ce livre : Judy Mazel. Il deviendra pour vous celui d'une amie, car, comme elle l'a fait pour les stars du grand et du petit écran, pour les businessmen et les princesses du dollar, Judith Mazel va vous permettre d'acquérir ou de retrouver la ligne de vos rêves, votre poids idéal. Grâce à elle, vous allez recevoir les plus beaux des cadeaux : une silhouette élégante et le bien-être physique et moral.

Le Régime de Hollywood mis au point par Judy Mazel a accompli des miracles en Amérique. A votre tour maintenant de profiter de son savoir, de son expérience. Ce petit bout de femme dynamique, mince comme un fil (46 kilos alors qu'elle en a pesé 66 !), regard vif, sourire éclatant, a dénoncé les dangers des régimes classiques, jeté aux orties pilules amaigrissantes et diurétiques, composé des repas aussi délicieux qu'originaux et ordonné aux « gros » de manger à satiété : une véritable révolution dans le monde de la diététique, et la mise en application de conceptions d'avant-garde, à contre-courant de celles de nombre de nutritionnistes contemporains. Il y a toujours eu des pré-curseurs ; dans le domaine de la nutrition, Judy Mazel est un précurseur.

Le Régime de Hollywood a été conçu en Californie, pays du soleil où abondent les fruits exotiques. Judy Mazel en a fait la base de l'alimentation de ceux qui ont besoin de perdre du poids. Impossible à suivre dans notre pays il y a quelques années, alors que les fruits exotiques étaient rares et chers, le Régime de Hollywood nous est désormais accessible ; on trouve en effet dans la plupart des grandes surfaces des ananas à longueur d'année, et si les mangues et les papayes sont pour nous des produits d'exception, rassurez-vous : vous constaterez en étudiant chaque journée du Régime de Hollywood que vous avez toujours la ressource de substituer un aliment à un autre et, hors saison, de consommer des surgelés.

Vous allez aborder ce livre avec tout votre cœur, lire le message d'amitié et d'espoir de Judy Mazel, connaître sa propre histoire d'adolescente honteuse de son obésité et de femme heureuse d'avoir vaincu ce douloureux handicap, comprendre les mécanismes de votre corps, apprendre comment et pourquoi les aliments peuvent se transformer en graisse, en bourrelets, en kilos. Puis vous attaquerez le Régime de Hollywood. Les deux premières semaines vont totalement bouleverser vos habitudes, mais tenez bon. Quotidiennement votre balance vous confirmera que vous êtes en train de gagner. Dès la troisième semaine, tout sera plus facile. Et Judy Mazel, avec ses explications, ses conseils, ses encouragements, vous tient littéralement la main tout au long des six semaines que doit durer le Régime de Hollywood (six semaines au maximum, car comme tout régime il ne peut être que temporaire). Elle vous dira aussi comment conserver votre poids idéal et profiter des plaisirs de la table l'esprit libre, le cœur heureux, le corps léger.

Que vous ayez 5 ou 20 kilos à perdre, que vous soyez seulement trop ronde ou un véritable obèse, le Régime de

Hollywood vous transformera. Il convient aux hommes comme aux femmes, mais — Judy Mazel le souligne — il exige une surveillance médicale et ne saurait être suivi par des personnes atteintes de diabète, de colite, d'hypoglycémie, de spasmes du côlon, d'ulcère, d'entérite, ni par les femmes enceintes ou en période d'allaitement. Vous êtes très nombreuses, très nombreux à ne pas souffrir de ces maux (pour les futures mamans et les jeunes mères il ne s'agit d'ailleurs que d'états heureux et temporaires) ; alors, si l'aiguille de la balance monte, monte, n'acceptez pas d'entrer dans le monde des « gros » : le Régime de Hollywood vous ouvre les portes du royaume de la minceur.

Dr Antoine W. Royer

I

Bienvenue dans le monde de la minceur !

Si vous lisez ce livre attentivement, et si vous comprenez ses principes, mon régime vous sera profitable : la minceur deviendra pour vous une réalité. Et le premier de ces principes est que vous devez être conscient des effets que la nourriture a sur votre organisme, devenir ce que j'appelle un « participant conscient ».

Les « participants » qui ont suivi mes cours individuels ou collectifs m'ont apporté beaucoup. Leur enthousiasme, devant les résultats obtenus, m'a poussée à consacrer ma vie à aider les « gros » à retrouver la ligne et la joie de vivre. Je ne résiste pas au désir de vous livrer quelques témoignages parmi les milliers que j'ai reçus.

« Pour la première fois, après avoir maigri, j'ai gardé un poids stable. C'est un miracle. » « Beaucoup de régimes n'apportent pas d'espoir, alors que celui-ci vous en donne... C'est un régime avec lequel on peut continuer à avoir une activité professionnelle. » « J'ai perdu 10 kilos et je mange à ma faim, mieux encore, avec plaisir, des aliments que j'aime. » « J'ai appris à manger, à éliminer ce qui me faisait grossir, et cela sans me priver... »

Parmi mes patients, je compte autant d'hommes que de femmes, d'adolescents que de gens âgés ; d'importants producteurs de films côtoient chez moi de simples employées de bureau, des vedettes sont soumises au même régime que des vendeuses de supermarché. Viennent aussi à mes réunions des hommes et des femmes devenus minces grâce à moi, définitivement stabilisés, fiers de montrer leur nouveau corps et désireux de m'en attribuer le mérite.

« Mon énergie s'est accrue, il n'y a pas de doute. » « Devenu mince, je suis rempli d'amour-propre et de fierté. » « Je sais maintenant comment rester svelte. » « J'ai suivi votre régime, il m'a transformé. »

Si vous êtes d'accord pour ne jamais accepter un régime de famine, si vous renoncez à croire que les pommes de terre et les pâtes font grossir, si vous voulez bien vous donner la peine de chercher les ananas les plus mûrs, si la langouste et le beurre vous excitent plus que le poulet sans la peau, si vous préférez un épi de maïs et des artichauts à du fromage maigre et à des carottes râpées, alors le Régime de Hollywood vous conviendra parfaitement, comme il a réussi à ceux qui proclament : « J'ai commandé des pâtes au restaurant sans culpabilité ni honte. J'ai mangé autant que j'ai voulu. » « Ma mère est venue un jour à l'heure du repas et a été horrifiée... Elle m'a demandé ce que je mangeais. Je déguste mon dîner, ai-je répondu avec satisfaction : un demi-litre de glace au chocolat. » Vous apprendrez que les « rondeurs » appartiennent au passé, car il n'y a rien que vous ne puissiez obtenir. Ma méthode consiste à vous apprendre comment et quand manger et que faire pour contrecarrer les effets de la nourriture, et donc pour qu'elle ne fasse pas grossir.

« J'ai mangé une énorme pizza et je n'ai pas pris un gramme, exulte J.-C., metteur en scène de théâtre. Je viens tout juste de terminer le programme en six semaines de Judy Mazel. J'ai perdu quinze kilos, et, sincèrement, je suis et je me sens mieux qu'à l'âge de vingt ans. Quand j'ai dû rentrer à Chicago, pour diriger mon dernier spectacle, je savais que je devrais affronter les tentations des restaurants de toutes sortes et que j'aurais du mal à résister aux odorantes pizzas lourdes et épaisses, comme je les aime. A Los Angeles, Judy Mazel m'avait appris à choisir les ananas, à les déguster lentement à la fourchette et au couteau, faisant de chaque bouchée un délice de gourmet. Mais, à Chicago, il me fallait ces pizzas qui évoquaient pour moi une époque importante de ma vie, à la fois professionnelle et sentimentale ; Judy m'a aidé, et, sur ses conseils, tous les cinq jours, je vais manger lentement, religieusement et sans en laisser une miette, une grande pizza à la saucisse, aux champignons et au fromage, sans prendre 500 grammes. Merci, Judy. »

Vous apprendrez à compter chaque bouchée, à expérimenter les effets de la nourriture sur votre corps et à tenir compte de cette expérience, et vous direz, comme le font nombre de mes patients : « Je suis maintenant conscient de chaque chose que je mets dans ma bouche. La façon dont je mangeais était folle. Je me levais le matin et, comme beaucoup de gros, je n'avais pas faim. Mais, vers onze heures ou midi, je me mettais à dévorer. Maintenant que je sais que je vais manger des choses que j'aime vraiment, je peux les attendre. »

Vous qui abordez ce livre, sachez que je vais vous apprendre à manger à votre content, à satisfaire vos fantaisies alimentaires, à devenir un vrai gourmet, et tout cela sans nuire à votre corps, bien au contraire.

Je vais vous donner les moyens de perdre vos kilos en trop et faire de votre nouvelle minceur une réalité durable, quels que soient votre mode de vie et vos goûts personnels. Votre régime sera un rêve devenu réalité parce qu'il comprendra tous les plats que vous aimez et auxquels les autres régimes vous obligeaient à renoncer. C'est d'ailleurs la raison pour laquelle vous n'êtes jamais allé au bout d'un régime. Ces plats sont importants pour vous, sinon vous n'auriez pas interrompu ces autres régimes. Eh bien, vous n'aurez pas à interrompre ce régime-ci, car il sera construit autour de vos plats favoris.

Vous allez expérimenter une méthode reliée à une philosophie, une façon d'avoir une relation avec la nourriture qui va vous assurer une minceur définitive.

Bien sûr, aussi efficace que soit mon régime, vous aurez à faire attention. Je ne peux vous faire perdre du poids et gagner de l'énergie. C'est à vous et à vous seul de vous en charger. Vous allez vous embarquer dans une histoire d'amour avec la nourriture. Commencez aujourd'hui. Vous aurez ce que vous aimez le mieux. Laissez la nourriture travailler pour vous. Il ne vous sera plus nécessaire de la combattre. Elle n'est plus l'ennemie. Vous avez déjà franchi le premier pas critique. Si vous n'en aviez pas pris conscience, si vous n'étiez pas motivé, vous n'auriez pas lu ce livre jusqu'ici, n'est-ce pas ?

Mon espoir est que ma philosophie pénètre votre conscience et la transforme pour toujours.

Plus jamais vous ne serez gros !

Des milliers de personnes ont découvert la magie du Régime de Hollywood. La presse, dans tous les pays, a rendu compte des effets surprenants de ce régime.

Des articles ont paru sur ce sujet dans les quotidiens les plus sérieux, les hebdomadaires les mieux informés, les magazines féminins consacrés à la beauté. Ces quelques extraits témoignent de l'intérêt qu'a suscité mon action.

« Judy Mazel a pris en main les poids-lourds de Hollywood et les a rendus svelte, dans une ville où la minceur est à la mode... »

« Judy Mazel, le gourou diététique le plus en vue d'Hollywood... »

« Judy Mazel a lancé la révolution diététique de demain. »

« C'est la femme qui a su apporter le bonheur aux autres. »

« Voici venue Judy Mazel, la missionnaire passionnée d'Hollywood. La liste de ses clients ressemble au générique d'une super-production. » « Judy Mazel est un nouveau gourou... dont le programme d'entraînement vous apprend qu'avec une bonne information alimentaire vous pouvez manger à votre façon en atteignant un haut niveau d'énergie physique et psychique. »

« L'itinéraire de Judy Mazel est celui d'un retour à une bonne nutrition... Ne vous inquiétez pas, vous allez perdre du poids tout en dégustant votre maxi-glace au chocolat... Il n'est pas rare pour une personne suivant le régime d'être surprise en train de manger de la langouste, une pizza, un gâteau au chocolat, de la glace, et autres plats considérés habituellement comme interdits par les régimes. »

« Tous, de Linda Gray, la vedette du feuilleton *Dallas* à J.A., magnat de la presse, ont été conquis par cette méthode qui préconise de manger des gâteaux... »

Ainsi mes travaux diététiques ont-ils porté leurs fruits et il est gratifiant pour moi de voir des personnalités dont la notoriété dépend en partie de leur aspect, de leur énergie et de leur minceur, devenir mes disciples.

« Judy ressemble à un psychiatre, elle vous place en thérapie » dit S.H., productrice d'émissions de TV.

« Ce n'est pas un régime, c'est une façon de manger. »

« Le point fondamental, bien sûr, est que cela marche. Vous perdez du poids », exulte E.F., chanteuse célèbre dans le monde entier. « J'avais pris dix kilos en vingt ans. Avec Judy, je m'en suis débarrassée. De nouveaux plats, de nouvelles saveurs, c'est tout simplement merveilleux. »

« Maintenant, j'ai une conscience globale de ma santé », s'est écriée Claire, quinze ans, fille de la vedette de cinéma S.K. « J'ai perdu treize kilos — rapidement et facilement. J'ai de l'énergie, ma peau est plus jolie, plus claire, et très douce. Je ne me suis jamais sentie mieux. »

Linda Gray, vedette de *Dallas,* était devenue hyperglycémique à force de manger trop de bonbons sur le plateau. Elle est l'une de ces nombreuses personnes qui sont venues à mon régime non pour perdre du poids mais pour retrouver une bonne santé, gagner une nouvelle énergie. Comme elle le dit : « J'adore ne plus penser à la nourriture, sachant toujours ce que je vais manger. Cela fonctionne très bien dans mon schéma de travail. »

Dans un grand journal de Los Angeles, B.Y., la femme d'un conseiller municipal de la ville, raconte comment nous faisons les ajustements diététiques nécessaires en fonction de nos obligations personnelles et sociales et témoigne du succès de ma technique, remarquant qu'elle a perdu quinze kilos (cinq la première semaine) depuis qu'elle l'a entrepris. « J'ai commis des erreurs, concède-t-elle, mais je n'ai jamais triché. Je n'en ai pas besoin. Je suis allée dans une pâtisserie et j'y ai mangé un gros gâteau au café fourré aux amandes, et je continue à perdre du poids, s'exclame Barbara. C'est une façon tout à fait différente de faire un régime. Et alors ? Je trouve ça fantastique. »

La grande vedette O.D. qui fait de la minceur son objectif numéro un explique les vertus de mon régime :
« J'ai suivi de nombreux régimes, mais celui de Judy est le plus facile. Elle a l'instinct de ce dont votre corps a besoin et une honnêteté qu'on ne trouve pas chez beaucoup de nutritionnistes. Quand je commence un film, je l'appelle et je lui dis : « Judy, au dîner d'hier, j'ai mangé quatre plats. C'est terrible, que faire ? Elle sait toujours répondre efficacement à ce genre de problème. »

Me recommandant à un producteur, George Sidney, le metteur en scène, expliquait :
« Elle travaille en tenant compte de vos goûts et vos dégoûts... et ça devient un jeu. Croyez-moi, cela fonctionne. Vous seriez étonné du nombre de personnes célèbres qui suivent ses conseils. C'est si facile... »

Comme le dit l'actrice A.H. : « De toutes les personnes vendant de la minceur à Hollywood, je peux dire honnêtement que Judy Mazel est unique, parce qu'elle est la seule qui était réellement grosse et qui ne pèse plus maintenant que quarante-six kilos.

Pour moi, cela signifie qu'elle a appliqué à elle-même son

plan et qu'il a marché... Rien de ce que vous pouvez dire sur la difficulté que vous avez à maigrir qu'elle ne connaisse elle-même. »

« Alors que je continue ma vie publique, confie une actrice que l'on peut voir dans des shows TV, je réalise l'importance essentielle de ce programme sur ma vie. Il me soutient. Cela me réconforte d'avoir un plan et de m'y accrocher. Il m'apporte la possibilité de faire face à ma vie et à mes envies. »

Non seulement le Régime de Hollywood fonctionne, mais on le suit avec plaisir. Les vedettes de Hollywood — les plus préoccupées par les problèmes du corps — chantent ses louanges.

Mais qu'en est-il des inconnus ? Ceux qui subissent les souffrances des régimes loin des projecteurs, qui, régulièrement, endurent les misères et les frustrations de régimes arrêtés en cours de route, et pour qui la perte de poids est aussi importante que pour les stars ? Ceux-là aussi viennent me voir. Ceux-là aussi perdent du poids et retrouvent leur énergie. Beaucoup m'écrivent... Cette lettre entre bien d'autres :

« Chère Judy, je ne peux plus taire plus longtemps mon plaisir des résultats merveilleux obtenus par votre régime. Je veux vous remercier de ce que vous avez apporté à ma vie et à mon corps. Je ne me suis jamais senti aussi bien, physiquement et émotionnellement. Votre approche est juste médicalement. C'est une grande solution à la suralimentation spontanée : enfin je peux vivre pour manger et ne pas devenir obèse. Bravo, Judy, et Merci ! Marvin B. Meissller. Docteur en médecine. »

Si je fais état de tels témoignages, ce n'est point par orgueil mais pour vous prouver que ma méthode donne des résultats exceptionnels, qu'elle convient à tout le monde, à *vous* qui avez besoin de maigrir, pour votre beauté, pour votre santé, comme : L.F. qui déclare : « Maintenant, je suis heureuse de dire que non seulement je pèse sept kilos de moins, mais en plus je ne me suis jamais sentie aussi bien et aussi vibrante depuis de nombreuses années, ce qui est un merveilleux « plus ». Mes amies disent que ma transformation ressemble à un miracle. Avant Judy, j'étais non seulement trop grasse, mais je souffrais en permanence de troubles de l'estomac et d'une élimination très paresseuse. On m'avait dit que ma vésicule biliaire ne fonctionnait qu'à peine. Merci pour votre aide, ces jours sont enfuis à jamais. »

Autres témoignages :

« Avec ce que vous m'avez dit sur l'alimentation et son rapport avec mon corps, je me sens totalement satisfaite. Je vous remercie non seulement pour moi-même, mais aussi pour tous les autres qui, espérons-le, auront la chance de vous rencontrer. »

B.P., étudiant en droit, affirme :
« Celle qui a pu me débarrasser du sucre, du sel, de la nourriture folle et m'a donné cette allure et ce sentiment de bonne santé mérite des tonnes de remerciements. »

« Judy Mazel et sa fabuleuse philosophie de la nourriture sont entrées dans ma vie et m'ont transformée en une véritable nymphe », dit la publicitaire C.G.

E.R., de Las Vegas, écrit :
« Très chère Judy, je vous dois d'avoir appris le lien qui existe entre l'énergie et la nourriture. Vous m'avez changée, moi et ma vie, si radicalement ces derniers mois... Je vous aime et vous remercie. »

J'ai changé leur vie, et, si vous me laissez faire, je changerai la vôtre également.

Pouvez-vous imaginer ce que cela représentera pour vous de voir l'aiguille de la balance monter moins haut ? Pouvez-vous penser à l'instant où vous vous regarderez dans un miroir et où vous verrez le corps dont vous avez toujours rêvé ? Pouvez-vous imaginer ne plus être gros ? Et pour toujours ?

Difficile, n'est-ce pas, quand on a essayé tant de régimes et connu autant d'échecs? Combien de kilos avez-vous perdus dans votre vie? Et puis regagnés? Etes-vous prêt à les perdre à jamais? Si vous êtes malade des régimes et de l'amaigrissement, si vous êtes prêt à penser à la nourriture, à étudier la nourriture et ses rapports avec vous, si vous voulez faire des choix conscients, alors le Régime de Hollywood est fait pour vous.

II

La métamorphose d'une droguée de la nourriture

Toute ma vie, j'ai aimé manger et j'ai vécu pour manger. Je le fais toujours. Je peux concourir contre vous ou n'importe qui, fantaisie alimentaire contre fantaisie alimentaire, bouchée contre bouchée. Je peux m'asseoir devant un gigot de mouton pour deux personnes et n'en rien laisser dans mon assiette, un caneton entier, un steak de cinq cents grammes ou un gros gâteau au fromage. Mon cœur chante et mon esprit s'élève. Je n'en ai jamais assez. Je ne suis jamais rassasiée. Je ne suis jamais fatiguée de manger. Je mesure 1,62 m et, depuis six ans, n'ai pas varié de plus de 1,5 kilo de mon poids idéal de quarante-six kilos. Je cours les boutiques pour trouver les bikinis les plus minuscules. Je n'ai pas peur de mettre les vêtements les plus épais quand je suis aux sports d'hiver, et je dois ces plaisirs à une façon de manger que j'ai conçue et développée et qui est devenue le Régime de Hollywood.

Il n'en fut pas toujours ainsi. Loin de là. J'ai été un bébé, puis une petite fille plutôt maigre. Mais, brutalement, à huit ans, j'ai commencé à prendre du poids. Je me souviens encore très nettement du jour où ma mère me conduisit chez un spécialiste qui me donna mes premières pilules amaigrissantes. A partir de ce jour-là, ma vie tout entière fut consacrée à la lutte contre les kilos. Mes parents consultèrent une multitude de diététiciens. Je subis des dizaines de piqûres d'extraits thyroïdiens ou autres, j'avalai des poignées de laxatifs, et je suivis des régimes, des régimes et encore des régimes.

Chacun surveillait ce que je mangeais. Et ce que je mangeais absorbait de plus en plus de mon énergie et de ma vie. J'aimais débarrasser la table, car cela me donnait la possibilité de terminer les restes des autres. Ma famille m'asticotait en permanence : « Qu'es-tu encore en train de manger, Judy ? N'en as-tu donc pas assez ? » Plus ils me tourmentaient, et plus je voulais manger.

A l'occasion de la remise des prix, à la fin de l'année scolaire au lycée, ma mère voulut m'acheter une robe neuve. Mais, dans les magasins de vêtements pour enfants, je ne pus entrer dans aucun, et j'avais à peine dix ans ! Il fallut m'habiller au rayon des adultes.

A quatorze ans, pesant soixante-six kilos, je décidai qu'il était temps que je me prenne en main. J'absorbai davantage de pilules. J'eus des palpitations nerveuses et des migraines. L'insomnie devint une hantise. Mais je tins bon et retombai à 52 kilos. En un mois, j'avais regagné chaque kilo. Et je repris le chemin des cabinets de diététiciens, entassée dans la salle d'attente avec tous les autres obèses, me sentant hostile et pitoyable. Ma mère n'osait plus rien me dire mais je savais qu'elle pensait : « Je t'aime, mais tu es grosse. Si tu es grosse, je ne t'aime pas. »

Je prenais souvent de l'argent dans son porte-monnaie pour me payer une pizza lorsque je restais seule à la maison, le samedi soir. Je cachais ces petites rapines sous mon lit. Bien sûr, intentionnellement ou non, je me faisais toujours prendre.

De quatorze à seize ans, j'étais grassouillette sans être réellement obèse. A la fin de mes études secondaires, je grossis, malgré pilules thyroïdiennes, amaigrissantes et laxatifs.

A l'université, ce fut pis. Je devins la championne de la

consommation compensant par n'importe quel moyen le fait d'être grosse. Et je savais que, quoi qu'on puisse dire à mon propos, en bien ou en mal, on ajoutait toujours : « Et elle est grosse ! »

En désespoir de cause, j'allai voir un diététicien à la mode tout nouvellement installé à Chicago. Il me prescrivit le plus fort dosage de pilules amaigrissantes que j'eus dans ma vie, et ajouta quelque chose de nouveau : les diurétiques. Je devins à peu près mince : 59 kilos. Mais les effets secondaires des pilules et des diurétiques dont je me gavais secouaient durement mon organisme.

Quand je me sentis finalement présentable, je décidai de prendre des cours de comédie, et je me rendis à Los Angeles. Pour maintenir mon poids minimum, j'augmentai encore la quantité de pilules thyroïdiennes, de diurétiques et de cachets amaigrissants que j'absorbais quotidiennement. L'insomnie et les migraines m'accablèrent. Je me levais le matin, prenais un cachet analgésique, me recouchais pour attendre qu'il fasse de l'effet.

Je n'ignorais pas que je jouais avec ma santé, que dépenser 500 francs par mois à la pharmacie n'était pas normal, que j'étais en train de me détruire, mais je ne savais que faire ni de quel côté me tourner. La révolution diététique avait commencé, mais je pensais que les gens qui faisaient leurs courses dans les magasins végétariens et ne mangeaient pas de viande étaient des marginaux et des hippies. La nutrition était un mot que j'avais entendu à l'école et dont je ne connaissais pas réellement le sens. J'ai appris depuis que la nutrition est la transformation et l'utilisation des aliments dans l'organisme.

Mes dîners chinois tels que le président Mao aurait pu en servir et les chips dont je raffolais étaient responsables de mes problèmes de poids que les multiples pilules que je prenais ne faisaient qu'accentuer. Je savais seulement que si je diminuais, même un tout petit peu, le nombre de pilules, j'enflerais comme un ballon. Je gagnais et je perdais quatre à cinq kilos par semaine.

En fin de compte, je parvins à convaincre un médecin de Los Angeles de me faire entrer dans un hôpital pour y subir des tests. En dix jours, privée de mes drogues, je pris dix kilos. Mes jambes se boursouflaient, mes yeux disparaissaient derrière des replis de peau. Les médecins diagnostiquèrent que ma thyroïde ne fonctionnait pas et que mes glandes surrénales et pituitaire étaient comme mortes. Ils déclarèrent qu'ils ne pouvaient pas me supprimer les médicaments et je me résignai à vivre passablement grosse, plus ou moins droguée et totalement malheureuse.

Faire reculer l'habitude

Lors d'une descente à ski, six mois plus tard, je heurtai un arbre et fus plongée dans l'inconscience. Je me réveillai à l'hôpital avec une jambe cassée. C'est alors que j'expérimentai quelque chose de nouveau pour moi, sans aucun rapport avec ma jambe cassée : je me mis à envisager le monde d'un nouveau point de vue très intéressant. Couchée, impuissante, souffrant de ma fracture, je pris conscience de mon corps comme d'une entité, dotée d'une synergie entre ses éléments, chacun dépendant de l'autre. Alors que ma jambe se remettait, je commençai à comprendre et à admettre le fait que mon corps était le produit de ce dont je le remplissais — de la nourriture qui lui donnait de l'énergie et des médicaments qui le détruisaient. Je voulus en savoir davantage.

Je me mis à dévorer des livres sur la nutrition, m'emparant de tout ce qui pouvait nourrir ma nouvelle faim de connaissances sur l'alimentation. Un jour, au cours de mes études, un fait me parut évident : oui, je pouvais être en bonne santé ! Je pouvais réellement être un tout, sans les pilules, les diurétiques, les cachets, les migraines et les insomnies. Sans les médecins, les hôpitaux, la misère et la haine de moi-même. Je devenais obsédée par la bonne santé et la minceur.

Lorsque ma jambe fut remise, je poursuivis mes recherches. Je fréquentai les magasins diététiques. J'assiégeai les médecins, les savants, les nutritionnistes. Je passai six mois à Santa Fe à étudier avec le fameux nutritionniste Scotte Gershen, président du Sonta College de médecine naturelle.

J'avais confiance en lui car il possédait de solides connaissances médicales. Et il avait du bon sens. Ce n'était pas un de ces guérisseurs qui racontent une bonne histoire mais ne connaissent pas les fondements de la science. Je me méfiais des escrocs, des charlatans et des gens qui proclamaient les messages de leurs propres messies. J'appris qu'il existait des équivalents sains aux aliments empoisonnés que j'adorais. Il n'était pas question de sacrifice, ni même de privation. Je me mis à lire les étiquettes, pour savoir comment les industriels de l'alimentation traitaient les produits. Je continuai à améliorer la qualité de la nourriture que je mangeais.

Peu à peu, j'abandonnai mes pilules, sans enfler, sans prendre du poids. En fait, j'en perdais. Je commençai à découvrir le bien-être. Graduellement, je franchis les frontières vers la santé. Maintenant, j'étais réellement motivée. Je voulais me débarrasser à tout jamais de ma « mentalité de gros », et devenir mince pour toujours. Pendant mon séjour à Santa Fe, j'appris beaucoup sur le fonctionnement du corps et ses besoins nutritionnels. Pourtant je voulais en savoir plus encore.

Je me mis à m'observer moi-même, à observer cette étrange rupture qui peut se produire entre l'esprit et le corps. Je pris conscience de mon incapacité à sentir mon corps. D'une certaine manière, il ne m'était jamais apparu que c'était ma tête qui disait à mon corps ce qu'il devait faire ; j'avais toujours pensé que mes pieds étaient trop loin de mon cerveau pour qu'il ait le moindre contrôle sur eux. Je commençai à mesurer cette rupture à travers différentes formes de thérapie corporelle : la thérapie reichienne, le rolfing, la technique d'Alexander, la thérapie par la danse, le Vocal, Bio Matrix, la bio-énergie. J'ai tout essayé. J'admettais le fait que mon corps dépend réellement de ce que je mets dedans. Je cassai ma cuirasse, entrant en contact avec mon corps et le ressentant, comme lorsque j'avais cassé ma jambe. J'avais arrêté les diurétiques et les pilules à base d'extraits thyroïdiens et je n'avais pas pris de poids. Le cycle était rompu. Je descendis de cinquante-cinq kilos à cinquante-deux. Mais je me sentais toujours grosse. J'avais encore au moins cinq kilos à perdre.

Je réalisai que toutes mes croyances diététiques, mon acceptation des diagnostics des diététiciens, tout ce dans quoi j'avais grandi à propos de la nourriture, de l'alimentation et de la grosseur était suspect. Je savais que je ne pourrais jamais plus suivre les régimes d'avant. Non seulement ils restaient inefficaces, mais, en plus, ils n'étaient pas sains !

Je recherchai le régime définitif. Rien de ce que j'essayais ne marchait réellement. Stillman ; Atkins ; le comptage de calories ; avaler mon souper comme petit-déjeuner. Tous offraient des prescriptions rigides qui se soldaient par des échecs. J'étais avide de lectures sur la nutrition. Un jour, alors que je me demandais si mes recherches n'étaient pas vaines, je quittai l'autoroute pour acheter des cachous dans une petite ville, et, là, je trouvai le « chaînon manquant » dans un magasin de diététique : un livre sur les enzymes et le système digestif. L'auteur suggérait que la combinaison des différents aliments ingérés était la clé d'une bonne digestion. Je considérai aussitôt ce point comme la clé de la perte de poids. Je me mis à étudier les enzymes et leur rôle essentiel dans le processus digestif. Je fouillai les librairies et lus tout ce qui pouvait me tomber entre les mains sur ces petits diables que les scientifiques définissent comme des substances qui jouent un rôle primordial dans les processus physiologiques de tous les organismes.

En découvrant les lois fondamentales de la digestion et le rôle joué par les enzymes dans le processus alimentaire, je me débarrassai de tout ce que j'avais appris sur un repas équilibré. Je compris que s'il était exact que nous avons besoin d'un juste équilibre entre protéines, hydrates de carbone et graisses, l'idée de manger un repas « équilibré » est aussi absurde que de porter deux robes ou deux paires de chaussures en même temps.

Et je rejetai tout ce que j'avais cru à propos des régimes et de la diététique. L'homme préhistorique ne mangeait pas un repas équilibré. Il mangeait des baies ; il tuait un animal et le mangeait. Il avalait quelques noix et des insectes. A un certain moment de notre évolution sociale, il devint « convenable » de prendre un petit déjeuner, un déjeuner et un dîner, « convenable » de faire un repas « équilibré ». Mais est-ce que « équilibré » est une vraie description de ce que doit être notre régime ? « Equilibré » est-il dosé en termes de santé ?

Je compris qu'il n'y avait pas d'aliments intrinsèquement bons ou mauvais. Etre gros n'a pas grand-chose à voir avec ce que l'on mange, ni en quelle quantité. Il s'agit plutôt des combinaisons des aliments entre eux. La clé est la digestion. Tant que la nourriture est totalement digérée, totalement absorbée par le corps, on ne prend pas de poids. Ce n'est que la nourriture non digérée, la nourriture qui est « conservée » par notre corps, pour différentes raisons, qui s'accumule et devient de la graisse.

Au début, je mis au point un système d'alimentation fondé sur les lois des enzymes. Il n'y avait pas de règles, rien à appliquer si ce n'est rassembler des informations à partir d'origines très diverses, les relier entre elles, en faire la synthèse et les tester. Quel meilleur cobaye que moi-même ? J'ai commencé par me nourrir de ce que j'appellerai les « bons » aliments, les aliments de « régime » dont je savais qu'ils ne font pas grossir : viande maigre, poulet sans la peau, fromage maigre et poisson cuit à la vapeur. Mais, pour que je puisse accepter d'en manger jour après jour, je savais que je devais aussi manger les aliments que j'aimais, tous ceux que j'avais auparavant chassés de mon régime. Je me connaissais assez pour savoir que je ne pourrais suivre pendant longtemps un régime aussi contrôlé. Et c'est ici que cela devint astucieux.

Les autres régimes étaient tous les mêmes, comprenant ou non quelques branches de céleri. Chacun interdisait le pain, les pâtes, les pommes de terre, les sucreries. Rien d'étonnant à perdre du poids dans ces conditions. Mais après ?

Je savais que je me nourrissais de manière émotive. Si tel n'était pas le cas, tous les autres régimes auraient marché pour moi. Mais je mange en réponse à une sensation, en compensation d'une frustration, de quelque ordre qu'elle soit. Et je ne peux pas empêcher ces sensations, ces frustrations de se produire. Avez-vous remarqué que, pratiquement, chaque « mangeur » que vous connaissez a été décrit comme étant « sensible » ?

Je savais que je ne pouvais pas cesser de manger, que la nourriture était terriblement importante pour moi. Le problème était que cette nourriture ne travaillait pas pour moi, et je venais d'apprendre qu'il était vital de la faire travailler.

J'avais toujours mon ancienne mentalité de « régime ». Il était inconcevable à mes yeux que je puisse être autre chose qu'une personne au régime strictement contrôlé, ou bien un énorme champignon de cent cinquante kilos. Mais tout ce que je lisais et apprenais, tout ce que je rassemblais me disait le contraire.

J'avais à créer un régime qui serait une façon permanente

de vivre, un régime qui comprendrait tous les aliments que j'avais désirés pendant toutes les années catastrophiques de ma croissance. Les enzymes étaient certainement la clé. Grossir avait sans doute une cause plus importante que l'absorption de calories. Les calories, je l'avais appris, représentaient simplement de l'énergie. Ma recherche sur les enzymes m'avait fait comprendre que la prise de poids avait un rapport avec la non-digestibilité : comment notre corps traite l'alimentation et comment cette nourriture devient une charge pour notre organisme.

Je découvris que nombre d'enzymes ne peuvent agir en même temps et que beaucoup s'annulent les unes les autres dans le processus digestif. Je découvris aussi que si je ne prenais pas trop de mets, de goût ou de texture diverses en même temps, j'étais moins tentée de me suralimenter.

Je rassemblai mon courage et expérimentai le pain, les noix, les pommes de terre, ces aliments dangereux. Puis j'essayai les plats que j'avais toujours bannis de mon régime : les pâtes, les crêpes, et enfin les glaces et les desserts. Eurêka ! Ça marchait ! Avec un seul plat à la fois, je faisais fonctionner mon processus digestif... et je ne prenais pas de poids. Je ne pouvais toujours pas manger salé sans enfler, mais je m'aperçus que les plats contenant de petites quantités de sel n'entraînaient pas nécessairement un désastre.

Mes expériences se développaient. J'appris que les fruits tropicaux avaient une concentration incroyablement élevée d'enzymes digestives. Etait-il possible que les enzymes de ces fruits puissent rendre moins grossissants les aliments difficiles à digérer ? Leurs capacités enzymatiques pourraient-elles supprimer l'indigestibilité d'un mélange d'aliments faisant grossir ?

J'essayai. Je n'avais jamais goûté à une mangue de ma vie. Je ne savais pas à quoi ressemblait une papaye. Je m'attachai à définir quelles enzymes auraient une interaction avec tel ou tel groupe d'aliments. Je testais, essayais et mangeais... mangeais... mangeais. Et je perdais toujours du poids. J'étais visiblement sur la piste de quelque chose de fabuleux.

Durant huit mois, je comparai les enzymes entre elles, constatant leurs effets sur mon propre corps. Je me mettais à accepter le fait que la minceur pouvait être une réalité. Quand j'y serais parvenue, je pourrais m'y maintenir. Tout ce que j'avais à perdre, c'étaient quelques vieilles névroses, quelques fausses croyances sur les repas équilibrés, et quelques kilos. Je me concentrai sur la santé et sur l'augmentation de la valeur nutritive de mon régime. J'établis mon propre programme destiné, en premier lieu, à garder mon poids, et non en perdre. Mais je continuai à en perdre. Je commençai à planifier mes plats favoris plutôt que les manger par simple envie, et je les accompagnai des enzymes adaptées.

Eurêka ! La Combinaison
consciente découverte

Mon poids tomba à 44 kilos. J'avais un rapport avec le monde entièrement différent. Je l'aimais ! Je commençais à m'aimer ! J'en avais fini avec la peur. Je savais que je ne serais plus jamais grosse. Je pouvais manger ce que je voulais.

A travers mes tests, mes expérimentations et mon enthousiasme d'avoir trouvé la clé de mon bonheur, je gardais à l'esprit le côté émotionnel de mon appétit. Je savais que ces expressions rebattues étaient remplies de vérité : avaler sa colère, avaler sa fierté, avoir faim d'attention, se ronger le cœur — toutes expressions qui s'appliquaient à moi. Je ne savais pas quel genre de méthodologie j'avais forgée. Quand il s'agissait d'alimentation, je faisais toujours correspondre mes sentiments à ma bouche. Jusqu'à ce jour où je subis un certain désappointement et où je mourus d'envie d'un pot-au-feu. Je cédai... et le lendemain je n'avais pas grossi.

Je savais désormais que ma méthode devait tenir compte de ce genre d'émotion. Je découvris que je n'avais pas à être disciplinée à cent pour cent, que je n'avais pas toujours à planifier ce que je souhaitais manger, que je pouvais me laisser aller à la spontanéité du moment, car j'avais mis en place les correctifs nécessaires à mes faiblesses coupables. Je pouvais me donner la permission d'être indulgente avec moi-même car bousculer le programme n'était pas une irréparable catastrophe. Je n'avais pas à faire de chaque repas le « dernier souper ». Je n'avais pas à craindre « la peur de la faim ».

Le régime que je m'étais construit répondait à toutes mes décisions, le rêve se transformait en réalité. Ce que je choisissais de manger devenait ce que je devais manger, car mon régime ne signifiait rien d'autre que suivre un certain nombre de règles simples, et les suivre le lendemain d'un écart était simple.

A ce moment, je me programmais jour après jour, de sorte que chaque jour déterminait le suivant, chaque jour étant relié au précédent. Je continuai à étudier les capacités enzymatiques de différents aliments, et leurs rapports avec la digestibilité et la « grosseur ». Les réussites se suivaient. C'en était à un point tel que je pouvais prévoir les résultats avant d'expérimenter. Je ne me trompais que rarement. Cela devenait comme un grand courant, repoussant les limites, ajoutant des produits neutres (des fruits — sans possibilités enzymatiques) par intérêt, recherchant des amis gros et maigres pour appliquer ma méthode à leur régime. De plus en plus, j'étais consciente de mes sensations et des incroyables réserves d'énergie dont je disposais. J'étais décidée à construire définitivement mon régime avec cette énergie.

Ma métamorphose ne resta pas secrète. Des amis me demandèrent de l'aide, et je les aidai. Je décidai de me consacrer à la combinaison consciente des aliments, à la santé et à la minceur. Après tout, j'avais acquis et développé des connaissances dans ce domaine et je sentais l'obligation de les partager avec toute personne accablée par un problème de kilos superflus.

La minceur pour toujours

Je fabriquai différents programmes, fondés d'abord sur les fruits, pour des amis proches. Ils perdirent rapidement du poids. L'information se transmit de Los Angeles à Las Vegas, de Chicago à Dallas. Les gens apprenaient qu'il y avait enfin un espoir pour les sans-espoir. Les convertis se multipliaient. Hollywood, le « jet set », les célébrités réclamaient mes secrets. Médecins et psychiatres se mirent à me recommander à leurs patients obèses. L'élite de la Californie frappait à ma porte, et repartait amaigrie. Bientôt on vint me consulter de toutes les parties du monde. Le Régime de Hollywood devenait une réalité.

J'ai écrit ce livre pour que vous puissiez profiter de ma méthode. Depuis plus de six ans, je n'ai pas varié de plus de 1,5 kilo. Je ne m'attends pas à ce que vous compreniez le bonheur et les récompenses que cela m'a apporté, du moins pas encore. C'est seulement en essayant la combinaison consciente par le Régime de Hollywood que vous pourrez apprécier ce que la minceur éternelle veut dire réellement. J'ai changé la vie de centaines de gros. Je changerai la vôtre également.

Si nous avons pu le faire, vous le pouvez aussi.

III

La Combinaison consciente expliquée

Vous êtes fait de ce que vous mangez

Et, pourtant, je ne m'occupe pas de ce que vous mangez ni même en quelle quantité. Ce qui compte, c'est *quand* vous mangez, et, encore plus, ce que vous mangez *avec*. Je le répète, régime ne signifie pas privation, mais mode de vie.

Vous pouvez prendre un gâteau et vous en régaler si vous le faites au bon moment. C'est la base du Régime de Hollywood.

Pour admettre cette nouvelle approche de l'alimentation, il faut comprendre ce que devient la nourriture dans votre corps. Alors, seulement, vous connaîtrez le vrai sens du mot nourriture. Alors, seulement, vous vous rendrez compte que chacune des parties de votre corps, chacun de vos organes dépendent les uns des autres, et dépendent aussi, pour vivre, de la nourriture, du carburant, que vous leur donnez. En termes simples, l'obésité signifie l'indigestion, ou la non-digestion des aliments. Quand votre corps n'utilise pas la nourriture, ne la digère pas, elle devient de la graisse. En résumé, votre corps prend la nourriture que vous lui donnez et la transforme en principes nutritifs. Ces principes nutritifs sont des substances dont ont besoin les organismes vivants pour maintenir la vie, la santé et les fonctions reproductrices. Ce sont les vitamines, les sels minéraux, les acides aminés, le glucose, les lipides et l'eau.

La digestion, ou la séparation de l'alimentation en principes nutritifs, est réalisée par les enzymes, de petits réactifs chimiques qui se trouvent dans la nourriture ou qui sont conçus et fabriqués dans notre corps par les aliments avalés. Des enzymes différentes agissent sur chacun des trois groupes alimentaires, les protéines, les hydrates de carbone et les graisses.

Chaque groupe alimentaire a donc sa propre série d'enzymes.

Non seulement les enzymes n'ont pas d'effets sur les autres groupes alimentaires que le leur, mais elles sont souvent antagonistes et la présence de l'une peut entraver l'action d'une autre.

Les enzymes sont des substances très particulières. Il y en a des centaines, mais trois seulement que vous devez connaître :

— la ptyaline : l'enzyme essentielle pour digérer les hydrates de carbone. Elle est présente dans notre salive et elle est activée par la mastication ;

— l'acide chlorhydrique : il se trouve dans l'estomac et est responsable de la digestion de la graisse ;

— la pepsine : pour être décomposées en principes nutritifs utilisables par notre corps, les protéines nécessitent deux enzymes, la pepsine et l'acide chlorhydrique. La pepsine se trouve également dans l'estomac.

Pour savoir comment la nourriture devient nous-même, il faut faire quelques pas de plus et comprendre le travail des enzymes.

Le corps assimile la nourriture en quatre étapes : digestion, absorption, métabolisme et élimination.

La digestion :
première étape du processus digestif

Dans cette première étape, la nourriture est transformée en principes nutritifs par trois parties du corps : la bouche, l'estomac et le petit intestin.

La bouche : Manger un hydrate de carbone active l'enzyme ptyaline, qui le décompose. Les autres aliments (protéines, graisses et cette catégorie spéciale d'hydrates de carbone, les fruits), ne sont pas affectés par elle et descendent dans l'estomac.

L'estomac : Quand un hydrate de carbone arrive dans l'estomac, il a été correctement digéré et se présente sous la forme de maltose, un sucre cristallin. L'estomac décompose le maltose et le laisse partir.

S'il s'agit de protéines, elles seront décomposées par la pepsine, qui est activée par l'acide chlorhydrique. D'abord il y a une « douche » d'acide chlorhydrique qui sépare et décompose la graisse. Puis la pepsine adoucit et transforme la protéine en acides aminés. Après ces deux étapes, l'acide chlorhydrique et la pepsine travaillent ensemble pour poursuivre la digestion des aliments en acides aminés. Quand la graisse entre dans l'aliment, le corps utilise l'acide chlorhydrique, comme les autres substances, pour les transformer en lipides, forme nutritive des graisses.

L'intestin grêle : La nourriture est alors envoyée dans l'intestin grêle. Là se trouvent des millions de petites particules attendant impatiemment d'absorber les éléments nutritifs pour les transmettre aux cellules affamées. A l'exception des fruits, lorsque la nourriture atteint l'intestin grêle, elle est déjà transformée en principes nutritifs. Les fruits, eux, se transforment dans l'intestin grêle.

A propos des fruits, sachez ceci : alors que les autres aliments doivent prendre le temps d'être digérés dans la bouche et/ou dans l'estomac, les fruits sont une exception car ils contiennent toutes les enzymes nécessaires à leur propre transformation en principes nutritifs ; les enzymes du corps ne sont donc pas nécessaires, ni dans la bouche ni dans l'estomac, pour les assimiler. Bien que l'estomac n'ait pas besoin des enzymes pour agir sur les fruits, il les découpe et les humidifie pour qu'ils glissent dans l'intestin grêle. Cela se passe si rapidement que, avant même d'avoir fini de manger un ananas, les premières bouchées sont déjà transformées en principes nutritifs dans l'intestin grêle et transportées dans le sang.

L'absorption :
deuxième étape du processus digestif

C'est le processus par lequel toutes les petites cellules de votre corps sont nourries ; elles prennent dans le sang les principes nutritifs transformés au cours de la première étape du processus digestif. En même temps, les sels minéraux et toutes les vitamines solubles dans l'eau sont absorbés par le sang.

Le métabolisme :
troisième étape du processus digestif

Tous les principes nutritifs digérés sont transformés en matériaux de construction. C'est le procédé par lequel se créent votre chair et votre sang, que se fabrique votre énergie. C'est l'étape où vous ressentez ce que vous mangez, où la qualité de la nourriture fait la différence. Le corps, comme une voiture, ne fonctionne qu'avec le carburant que vous lui donnez. Si vous mettez de l'essence à faible indice d'octane dans une Rolls-Royce, elle aura rapidement besoin d'être prise en remorque. Si la nourriture dont vous « faites le plein » est de mauvaise qualité, votre corps ne fonctionnera pas au mieux de ses capacités.

L'élimination :
l'étape finale du processus digestif

Tous les principes nutritifs dont le corps n'a pas besoin sont éliminés par la bouche, lors de la respiration, par la peau lors de la transpiration, et, surtout, par l'excrétion de l'urine et des déjections.

Si une seule des étapes du processus digestif est défaillante ou contrariée, toutes en sont affectées. Le résultat ? L'indigestion, qui, dans nombre de cas, n'est pas identifiée. On a des malaises et on les attribue à mille autres causes diverses.

Les symptômes évidents ? Des gaz, mal au cœur, maux d'estomac. Les moins évidents ? Insomnie, dépression, migraines, manque d'énergie, tension nerveuse, cheveux et peau ternes.

Le plus répandu et pourtant le moins reconnu de tous les symptômes est la transformation en graisse, l'obésité.

L'obésité est provoquée par la nourriture sous sa forme classique ou industrialisée (édulcorants, sodas, farines blanchies, etc.) ou même chimique (médicaments) : tout ce qui a été ingéré et n'a pas été digéré, absorbé, métabolisé ou éliminé.

L'obésité indique que, quelque part au cours du processus digestif, il y a un problème. Chez la plupart des gros, la deuxième et la troisième étape du processus digestif, c'est-à-dire l'absorption et le métabolisme, se déroulent sans accroc.

En revanche, il n'en est pas de même pour la première étape, la digestion, où, nous l'avons vu, la nourriture est transformée en principes nutritifs. Si nous ne respectons pas certaines règles alimentaires, nous « abîmons » littéralement notre digestion et alors notre corps payera.

C'est sur ce point particulier, cette première étape, qu'il faut baser la technique de combinaison consciente, la clé du Régime de Hollywood. Si la nourriture n'est pas transformée en principes nutritifs, elle ne peut être absorbée, puis métabolisée, puis utilisée ou transformée. Et si elle ne peut pas être utilisée ou transformée, elle est conservée par le corps et se transforme en obésité.

J'insiste : n'oubliez pas, la graisse n'est rien d'autre que de la nourriture absorbée et qui n'a pas été digérée. Si la digestion s'était normalement effectuée, il ne resterait plus des aliments que les principes nutritifs et pas de graisse. Est-ce clair ?

Faites connaissance avec les éléments nutritifs

Même si les quelques pages qui suivent vous paraissent un peu austères, lisez-les attentivement. Devenir mince vaut bien ce petit effort.

Continuons donc... Que sont ces éléments nutritifs ? Pourquoi sont-ils si importants ? Comment entrent-ils dans l'équation de l'obésité ? Les éléments nutritifs sont essentiels pour la création et la permanence de la vie. Ils sont ce dont nous sommes faits. Ils sont dans la nourriture que nous mangeons, et ils contiennent des substances qui apportent l'énergie et favorisent la croissance. Ils restaurent les tissus corporels, ils actionnent les mécanismes vitaux.

Notre être physique dépend d'eux. Notre corps n'est rien de plus que de la chair, du sang et de l'énergie. Si nous pouvions être décomposés et mis dans un tube à essai, nous ne serions rien d'autre que la combinaison de six éléments nutritifs : les vitamines, les sels minéraux, les acides aminés, le glucose, les lipides et l'eau.

Les vitamines : Ce sont des substances organiques absolument essentielles à la croissance et à la santé. Elles contiennent les enzymes et aident à la construction de la majorité des structures corporelles, notamment les vitamines C, B, A et D.

Les sels minéraux peuvent être organiques ou non organiques, et ils sont présents dans les os, les dents, les tissus, les muscles, le sang et les cellules nerveuses. Ils entrent en jeu dans des opérations telles que la production d'hormones, la réponse musculaire, les communications du système nerveux et d'autres encore. Parmi les sels minéraux, voici les plus importants : le calcium, le fer, le potassium, le soufre, le phosphore et le magnésium.

Les acides aminés sont les principes nutritifs dérivés des protéines. Ils apportent au corps sa chair et son sang. Ils construisent les muscles, le sang, la peau, les cheveux et les ongles, et même nos organes internes, comme le cœur et le cerveau.

Après avoir reconstitué le corps, les acides aminés ont le pouvoir de devenir du glucose, ce sucre du sang qui apporte l'énergie. Vous vous souvenez que les acides aminés se déversent dans le sang pour construire les cellules. Quand le corps a décidé que cela suffisait, il transforme ce qui reste en glucose. Les acides aminés sont les seuls éléments nutritifs qui peuvent jouer deux rôles. Ils servent d'abord à construire, puis ils deviennent de l'énergie, mais une énergie de qualité inférieure. Vous allez voir pourquoi.

Les protéines restent dans votre estomac pendant quatre à douze heures, traversant douze étapes digestives ; et alors seulement elles sont absorbées dans le sang. D'abord le corps repère et choisit ce dont il a besoin pour se réapprovisionner. Puis les acides aminés sont transformés et utilisés.

Vos cellules ne sont pas éliminées.

L'énergie qui est obtenue des protéines à la fin d'un tel processus est, nécessairement, affaiblie. Pensez-y.

Le glucose est notre carburant. Il maintient les battements de cœur, la circulation sanguine. Il nous permet de supporter notre poids et de mettre un pied devant l'autre. C'est le seul élément nutritif qui apporte une énergie instantanée.

Ce sont les hydrates de carbone qui fournissent le glucose dès qu'ils sont métabolisés et deviennent de l'énergie. C'est leur rôle. Le Régime de Hollywood étant hautement énergétique, il comporte beaucoup d'hydrates de carbone.

Nous pensons tous à tort que les hydrates de carbone font grossir davantage que les protéines. Pourtant ils ont tous deux le même nombre de calories — quatre pour 1 gramme. Il n'y a aucune différence. Les calories sont purement et simplement de l'énergie. Souvenez-vous-en, le glucose, c'est de l'énergie, et les hydrates de carbone se transforment en glucose. C'est chez eux qu'il faut chercher l'énergie, car ils sont prévus pour cela. Aller chercher de l'énergie dans les protéines est du temps perdu, car, rappelez-vous, les protéines ne deviennent de l'énergie (c'est-à-dire que les acides aminés deviennent du glucose) qu'après avoir répondu aux besoins de construction du corps.

Les nutritionnistes savent comme moi que l'énergie vient aussi des protides, des vitamines, des sels minéraux, mais, dans mon régime, les hydrates de carbone sont les fournisseurs privilégiés.

Les lipides sont l'énergie cachée dans les graisses, notre banque de réserve, la source d'énergie la plus concentrée dans nos régimes. Un gramme de graisse contient neuf calories contre quatre dans un gramme d'hydrate de carbone ou de protéine. Les lipides sont aussi porteurs des vitamines A, E, D et K. Sans le bon dosage de graisses utilisables dans un régime, le corps ne peut pas assimiler ou utiliser ces vitamines. Les lipides protègent notre corps et isolent nos organes. Les lipides sont aux graisses ce que le glucose est aux hydrates de carbone, et les acides aminés aux protéines.

L'eau représente plus des deux tiers de notre corps. C'est le constituant majeur de nos cellules ; elle permet à tous les autres aliments nutritifs de circuler dans les cellules. L'eau maintient l'équilibre et l'harmonie. Elle joue un rôle dans tous les processus vitaux : la digestion, l'absorption, la circulation et l'excrétion. Elle est nécessaire à la construction du corps, elle aide à maintenir une température corporelle normale et elle est vitale pour éliminer les déchets.

Un adulte possède environ 50 litres d'eau, et en perd approximativement 3,5 l par jour, ce chiffre pouvant varier de un à dix, selon notre activité et notre environnement. Beaucoup d'aliments contiennent 80% d'eau, en particulier les fruits et les légumes. Les éléments protéiniques font exception ; ils sont les seuls à ne pas contenir une grande quantité d'eau. Voilà pourquoi il faut boire beaucoup d'eau dans un régime riche en protéines.

En pensant aux éléments nutritifs, souvenez-vous que chacun d'entre eux a un rôle spécifique à jouer. Aucun ne peut être supprimé ou remplacé. Chacun est essentiel à notre existence.

Notre corps est une machine, et les éléments nutritifs son carburant. Sans les éléments nutritifs, le corps s'arrête, comme s'arrête le moteur d'une voiture qui n'a plus d'essence.

Sachez distinguer
les groupes alimentaires

Pour comprendre comment les aliments peuvent parfois devenir nos ennemis, il vous faut connaître les types d'aliments et leurs groupes.

Vous savez qu'il y a trois groupes principaux : les protéines, les hydrates de carbone et les graisses. Il y a aussi une sous-catégorie particulière : les végétaux. Ils sont spéciaux, car ils sont composés pour moitié de protéines et pour moitié d'hydrates de carbone.

C'est le bon équilibre entre ces trois groupes qui maintient un corps en bonne santé, en bon fonctionnement, et mince. Tous les aliments contiennent au moins l'un de ces éléments nutritifs. La plupart les contiennent tous. On établit la classification des aliments en les décomposant en éléments nutritifs et en déterminant l'élément principal.

Si un aliment comporte au moins 51 % d'acides aminés, il est classé comme protéine ; de même pour les hydrates de carbone et les graisses. Tous les spécialistes sont d'accord pour dire que le plus grand pourcentage de calories vient des hydrates de carbone. En décomposant une calorie, on a 50 % d'hydrates de carbone, 30 % de graisses et 20 % de protéines.

Voici la classification des aliments :

Protéines

Protéines animales : bœuf, poisson, volaille, mouton, porc, œuf ;
Protéines du lait : lait, fromage, glace, yaourt ;
Protéines des graines : noix, avocat, amande.

Graisses

Beurre, huile, crème.

Hydrates de carbone

Fruits : tous les fruits et les vins et alcools à base de fruits, tels que champagne, cognac, armagnac ;

Mini-carboné : salade, asperge, céleri, laitue, champignon, persil, épinard, cresson, courgette.

Moyen-carboné : betterave, brocoli, choux de bruxelles, chou, carotte, chou-fleur, concombre, aubergine, poireau, oignon, navet, pois, poivre (rouge, noir et de Cayenne), radis, échalote, haricot vert, tomate.

Maxi-carboné : artichaut, pain, farine de froment, chocolat, pâtisserie, maïs, liqueurs distillées, millet, pâtes, pop-corn, pomme de terre, riz, orge, tous les desserts, sauf ceux contenant du fromage.

L'ordre des aliments carbonés est établi en fonction de leur structure moléculaire et de leur complexité, les maxi-carbonés étant les plus complexes. Plus ils sont complexes, plus grande devra être l'action des enzymes pour les digérer. Ce qui allonge donc la durée de la digestion.

N'ayez pas peur des maxi-carbonés, ce sont eux qui donnent le maximum d'énergie. Et n'oubliez pas qu'aucun aliment n'est grossissant, mais que ce sont les rapports des aliments entre eux qui sont générateurs de prise de poids.

Végétaux

Lentilles, haricots, fèves.

Les enzymes en action

Maintenant que vous savez tout sur les éléments nutritifs, les groupes alimentaires, le rôle joué par les enzymes dans la digestion et l'obésité, nous pouvons nous intéresser au travail des enzymes. C'est le « cœur » du Régime de Hollywood. C'est là que tout se rejoint. Vous me suivez toujours ? Ne vous découragez pas. J'en ai bientôt terminé avec la théorie.

Comment se faire des ennemis
des hydrates de carbone

Simplifions d'abord le vocabulaire : je désigne les hydrates de carbone par le seul mot « carbonés ». Les carbonés, donc, sont digérés dans la bouche par l'action de la ptyaline, qui est sécrétée par la salive lorsque vous mâchez. Si un carboné pénètre dans votre estomac sans être transformé en maltose (par l'action de la ptyaline), votre estomac est frustré et dit « que vais-je faire de toi ? je ne possède aucune ptyaline pour te digérer ! » Alors, le carboné subsiste longtemps, se dégrade, fermente et pourrit — sans vraiment être digéré — et devient finalement de la graisse.

Il y a trois raisons qui peuvent neutraliser la ptyaline et empêcher la digestion des carbonés :

Si vous ne mâchez pas. Quand votre mère vous disait, enfant, de mâcher votre nourriture, elle ne savait peut-être pas pourquoi, mais elle avait raison.

Si vous ne ressentez pas le plaisir sensuel d'avoir une pomme de terre cuite dans votre bouche, si vous ne mastiquez pas pour déguster toute la saveur du pain fraîchement cuit, si vous vous contentez de faire descendre dans la gorge toute nourriture, si délectable soit-elle, alors tout deviendra de la graisse : vous n'avez pas déclenché la ptyaline.

Si vous ajoutez du sucre ou des produits sucrés. Ce n'est pas la crêpe qui fait grossir, c'est la couche de confiture dont vous la recouvrez. C'est la combinaison d'un sucre et d'un carboné qui opère des ravages.

C'est le sucre glace qui décore un gâteau sucré qui en fait un assassin. Chaque fois que vous ajoutez un édulcorant (c'est-à-dire du sucre, du miel, de la mélasse, ou même du sirop de fruit) à un maxi-carboné, cela ne fonctionne pas. Des crêpes arrosées de beurre fondu : c'est très bien. Vous ajoutez une seule goutte de miel ? Désolée, c'est mauvais.

Si vous mélangez les protéines et les hydrates de carbone. Ce mélange est destructeur. Quand une protéine contenant de la graisse arrive dans l'estomac, elle active deux enzymes : d'abord l'acide chlorhydrique puis la pepsine. L'acide chlorhydrique décompose toute graisse et active aussi la pepsine pour qu'elle décompose la protéine. Quand tout deux travaillent simultanément, ils fabriquent un acide qui neutralise l'enzyme des hydrates de carbone, la ptyaline. Autrement dit, la ptyaline est mise hors-circuit chaque fois que l'acide chlorhydrique et la pepsine travaillent ensemble.

La digestion des protéines est si lente et si imprévisible que, en termes de kilos gagnés ou perdus, à partir du moment où vous avez mangé une protéine au cours de la journée, votre corps ne pourra plus digérer un seul hydrate de carbone — même pas un champignon, un chou de Bruxelles ou une tranche de pain.

En particulier, la viande reste, même dans un estomac particulièrement actif, huit à dix heures, la volaille à peu près sept heures, et le poisson environ six heures. N'oubliez pas que beaucoup d'entre nous, ayant suivi des régimes riches en protéines et en graisse, ont des estomacs particulièrement peu actifs.

Rien n'est perdu toutefois, ma méthode va vous permettre de rendre à votre estomac tout son pouvoir de digestibilité.

45

Découvrez les secrets
de la Combinaison consciente

Commençons par examiner comment se digèrent les différents aliments. Comme je viens de le dire, les aliments protéiniques sont les plus difficiles à digérer car ils nécessitent une triple action enzymatique : l'acide chlorhydrique, puis la pepsine et enfin la combinaison des deux. Ces aliments passent beaucoup de temps dans l'estomac avant d'être digérés. Il en est de même pour les produits laitiers au contenu très gras qu'une seule enzyme peut digérer, l'acide chlorhydrique.

Les carbonés. Plus ils sont complexes, plus ils séjourneront dans votre estomac pour être digérés, qu'il s'agisse des mini-carbonés ou des maxi-carbonés. Une pomme de terre restera environ trois heures, un champignon une heure et demie.

Les graisses. Nous ne mangeons pas les graisses seules mais associées à d'autres aliments dont elles ralentissent de plusieurs heures au moins la digestion.

Les fruits. Ils sont digérés rapidement. Ils demeurent au maximum une heure dans l'estomac. Toutefois, en raison de cette rapidité, il ne peut y avoir de combinaison avec rien d'autre. Si vous mangez un fruit avec d'autres aliments, il restera prisonnier dans votre estomac. Et pensez à ce qui arrive à un morceau de fruit qui séjourne dans un local très chaud. Il fermente.

Voilà, je vous ai dit le mot clé de mon régime : *combinaison.* La digestion d'une catégorie d'aliments ne se fait bien que si cet aliment est associé à un autre. Pas à n'importe quel autre. A celui qui se combine avec lui pour activer le processus digestif.

Quand vous faites une mauvaise combinaison d'aliments qui ne se digèrent pas ensemble, vous courez deux risques : d'abord, l'aliment sera prisonnier là où il ne doit pas être et se transformera finalement en graisse ; ensuite, comme l'aliment n'est pas décomposé en principes nutritifs comme il le devrait, vous n'obtiendrez pas la valeur nutritionnelle que vous espériez. Non seulement vos hanches en souffriront, mais aussi votre santé. L'indigestion est bien plus que des gaz et des nausées. L'indigestion, c'est l'obésité !

La Combinaison consciente, c'est la réunion intelligente des aliments qui fonctionnent ensemble.

N'oubliez jamais que :

• les protéines vont avec les autres protéines et les graisses ;

• les carbonés vont avec les autres carbonés et les graisses ;

• les fruits vont seuls ;

• les graisses vont avec les protéines ou les carbonés.

Alerte donc aux mauvaises combinaisons. Et, pourtant, il n'y en a de bien tentantes, ne serait-ce que des spaghettis avec des boulettes de viande, du risotto à la chair de saucisse, des pizzas, des quiches et bien d'autres encore.

Mais je vous proposerai des menus qui satisferont votre goût de la bonne cuisine et votre désir d'être mince. Avant de vous dire ce qui vous est permis, voyons ce qui est interdit.

Jamais !

J'ai bien dit : interdit ! Je sais que je dis volontiers qu'il n'y a pas d'interdits dans mon régime. Eh bien ! Il n'y en a pas quand il s'agit d'aliments. Mais qui a classé les boissons diététiques et les sucres artificiels parmi les aliments ? Ces produits apparemment insignifiants peuvent faire beaucoup plus pour anéantir votre régime que bien d'autres aliments. Vous ne devez *jamais* en consommer.

Les boissons diététiques

Ce sont toutes celles que vous trouvez dans les pharmacies et les magasins spécialisés. Aromatisées à ceci, composées de cela...

Désolée. Ce vieux classique des régimes est plein de sodium. Or le sodium fait enfler le corps et contrecarre le processus de la digestion.

Les boissons diététiques contiennent aussi un autre produit chimique, la saccharine. Puisque nous abordons ce sujet, vous devez savoir que les produits chimiques sont nuisibles. Ils imposent un choc à votre organisme, car votre corps n'a pas été créé pour les assimiler. C'est une matière totalement étrangère, et donc absolument indigeste. Votre corps est tellement perturbé par ces intrus que, lorsqu'il tente de les assimiler, vitamines et sels minéraux sont détruits. Avant que votre corps puisse utiliser des aliments contenant des produits chimiques, il doit les désintoxiquer, éliminant non seulement les éléments nutritifs, mais aussi les réserves d'énergie.

Les sucres artificiels

N'oubliez pas que tout ce qui n'est pas digéré fait grossir. Or les sucres artificiels ne peuvent être digérés, puisque ce sont des produits chimiques, eux aussi. Ils entravent la digestion de tous les aliments que vous mangez en même temps qu'eux. En outre, quelle satisfaction vous apportent-ils ?

Les seules personnes à qui mon régime n'ait pas fait perdre de poids sont celles qui n'ont pas renoncé aux boissons diététiques et aux sucres artificiels.

Presque jamais !

Seuls quelques aliments sont à mettre dans la rubrique « presque jamais ». Il faut les éviter dans la mesure du possible. La vérité, c'est que tout le monde n'aura pas forcément un problème avec l'un ou l'autre d'entre eux. Vous verrez par vous-même : la réaction de votre corps vous le dira. Si vous grossissez, si vous vous sentez mal après en avoir absorbé, ne les mangez qu'avec discrétion. Le choix dépend de vous. Laissez-moi vous les énumérer.

Les produits laitiers

Le lait : comme on le sait, le lait en fonction de son origine animale, connaît de grandes différences de composition. Qu'est-ce qui nous fait croire que le lait de vache est le plus adapté aux besoins humains ? Quel effort d'imagination nous permet de penser que nous ressemblons aux vaches ? Pourquoi, par exemple, ne pas avoir choisi le lait de chèvre, de chienne, de lama ou de truie ? C'est simple : ce n'était pas aussi facile commercialement.

Voyons un peu plus loin. Dieu nous a créés avec un thymus qui sécrète l'enzyme nécessaire à la digestion du lait. Vers quatre ans, la plupart des enfants voient disparaître cette enzyme. A la puberté, elle est totalement inactive. Le thymus s'est réduit à la taille d'un pois et ne sert plus à rien.

Un atout majeur du lait est de favoriser la croissance, ce qui est certainement nécessaire. Mais pour les adultes ? Si les Américains sont si gros, c'est dû en partie à leur énorme consommation de lait, l'aliment de la croissance.

Ainsi, l'homme est le seul mammifère à boire du lait

après le sevrage. De nombreuses études prouvent que le lait est mauvais pour nous, que notre consommation de produits laitiers a des conséquences graves à long terme. Comme la plupart des laits sont homogénéisés et pasteurisés, le principal ingrédient qui aide à digérer les graisses du lait — la lécithine — est détruit par le chauffage que comportent les opérations d'homogénéisation et de pasteurisation.

Comme en fait, nous ne digérons pas le lait, nous n'en obtenons pas les éléments nutritifs, bien évidemment. Célébré comme l'aliment le plus complet de la nature, le lait humain lui-même est largement surestimé si on le compare à d'autres aliments, notamment pour la quantité de protéines et de calcium. Par exemple, toutes les céréales complètes sont plus riches que lui en protéines. La plupart des légumes en contiennent deux fois davantage, et les fèves et les légumes à feuillage vert sombre en ont de cinq à huit fois plus. Les recherches montrent que nos besoins en calcium sont moins élevés que ne le prétendent certaines publicités. Il se pourrait bien que l'importance donnée au lait dans notre société ne soit basée que sur des considérations commerciales.

Étant donné que le lait est une protéine, la petite goutte que vous allez mettre dans le café du matin rendra non digestes et grossissants tous les hydrates de carbone qui suivent.

Sans doute aurez-vous du mal à renoncer à votre lait dans le café ou le thé, surtout dans le café du bureau ou celui du restaurant d'entreprise dont l'arôme est souvent trop médiocre pour supporter d'être bu nature. Mais ce n'est qu'une habitude, l'une de celles dont vous pourrez facilement vous défaire. Essayez donc d'ajouter une pincée de cannelle ; vous verrez, cela surprend la première fois, mais, après, je crois que vous apprécierez.

Le fromage : il faut dix kilos de lait pour faire un kilo de fromage. Autrement dit, avec un litre de lait, on n'obtient qu'un petit morceau de fromage qui ne contient pratiquement pas d'eau.

Si le lait est difficile, voire impossible à digérer, pensez à ce que peut faire subir le fromage à votre pauvre estomac pour l'aider à faire son chemin. Plus dur est le fromage, plus il est difficile à digérer. Comme il n'a pratiquement plus d'eau, il doit en emprunter à votre corps, exactement comme les autres protéines, mais en plus grande quantité. Ce qui a pour effet de réduire la quantité d'acide chlorhydrique, l'enzyme nécessaire à la digestion des graisses. Ainsi, l'enzyme, dont a particulièrement besoin le fromage en raison de son fort pourcentage de graisses, est sérieusement ralentie.

En outre, le fromage est fortement chargé en sel. Si vous avez déjà goûté un fromage sans sel, vous savez qu'il n'a aucun goût et qu'on a l'impression de manger de la gomme à effacer. Voilà donc pourquoi les fromages sont toujours salés. Enfin, beaucoup de fromages contiennent des conservateurs et des colorants artificiels. Non seulement le fromage contient beaucoup de sel, non seulement il est plus riche en calories que n'importe quel autre aliment, mais en outre il passe plus de temps dans l'estomac que tout autre aliment. Et il transforme ce que vous mangez ensuite en poids superflu à cause de la lenteur de la digestion (comme je vous l'ai expliqué page 45).

Voilà pourquoi on se sent tellement lourd après avoir avalé du fromage : l'estomac travaille si durement qu'il ne peut rien supporter d'autre. Rien ne surmène plus votre estomac que le fromage et les produits laitiers. Enfin, comme dans la pasteurisation, la transformation du lait en fromage détruit la lécithine, l'élément qui digère les graisses.

Le yaourt : c'est un aliment miracle, oui, mais un miracle de réussite commerciale ! Il est célébré comme la panacée, l'aliment qui nous rend mince et nous apporte énergie et santé et qui prolonge notre espérance de vie... C'est le sauveur qui tue les bactéries et, en même temps, qui apporte des ferments. Le yaourt est devenu le viatique de l'homme moderne.

La consommation du yaourt est en pleine expansion, et l'industrie laitière compte ses recettes avec beaucoup de satisfaction.

La vérité ? Le yaourt est un produit laitier pauvre en matières grasses, obtenu en apportant des ferments au lait. Ni plus ni moins. Personne ne peut vivre de yaourt. A tous points de vue, c'est un aliment incomplet. Sa consommation en quantité entraîne un manque important de fer, vitamine C et cuivre. Comme le lait, le yaourt contient du sodium, c'est-à-dire l'un des composants du sel, et le sel n'est pas le bienvenu dans notre régime.

Les ferments du yaourt prédigèrent une partie du lactose, le sucre naturel présent dans les produits laitiers. Une partie mais pas tout. Et si le yaourt est maigre (de 0 à 50 %), ce mince avantage est anéanti car les enzymes et les bactéries sont enlevées lors de l'opération de « dégraissage » du lait qui sert à faire le yaourt maigre. Détruisez les enzymes de digestion et vous obtenez une valeur nutritive nulle.

Je n'ai parlé que des yaourts nature. Ajoutez des sucres, des fruits, et les quelques qualités du yaourt entier sont entièrement détruites. Les fromages et les yaourts étant aussi des protéines, leur ajouter des fruits ou des légumes rend la proportion de carbonés indigeste.

Le sel

Le sel est un composé chimique comprenant deux éléments, le sodium et le chlore. C'est le sodium qui est responsable de tous les maux. Vous le savez, le corps est composé de milliards de cellules dont l'ensemble forme votre être physique. Quand le sel pénètre dans votre corps, il chasse l'eau de vos cellules et la pousse dans les tissus voisins et les interstices des cellules. Comme vos cellules ont besoin d'eau, elles obligent le corps à remplacer ce qui a été enlevé, et elles cherchent n'importe où, soumettant le reste du corps à d'énormes pressions.

C'est l'état d'alerte. L'eau, qui devrait normalement être utilisée dans d'autres processus physiques est détournée pour satisfaire la soif de vos cellules. Une grande partie de cette eau sera prise dans les aliments qui viennent d'être ingérés, car les besoins des cellules ont priorité sur tous les autres.

Normalement l'eau des aliments aide à la digestion, notamment dans l'élimination. C'est un processus permanent d'épuration.

L'eau accélère le nettoyage continuel du corps, le débarrassant des déchets et des graisses. Mais, quand il y a trop de sel dans le corps, l'eau se raréfie : aliments et déchets se concentrent et stagnent.

Le corps enfle, alors que le liquide s'accumule dans des régions où il n'a que faire, où il ne peut pas être utilisé.

Curieusement, le sel est une drogue presque aussi forte que le sucre, car c'est un stimulant. En dépit de sa réputation, le sel ne donne pas meilleur goût aux aliments. Il stimule les papilles gustatives mais, à la longue, il leur fait perdre leur sensibilité. Quand vous serez débarrassé du sel pendant un certain temps, vous découvrirez les nouvelles saveurs que le sel vous avait jusqu'alors masquées. S'il est tellement difficile de limiter le sel dans l'alimentation c'est qu'il est aussi envahissant que les taches de rousseur sur le nez d'un rouquin. Sous de multiples formes, on utilise le sodium comme conservateur, comme « améliorateur » de goût et comme agent de levain. Certains aliments, tels que les pickles ou la choucroute sont manifestement pleins de sel. Mais vous rendez-vous compte des grandes quantités de sodium qui souvent saturent les soupes, le fromage, les conserves, le pain, le thon, la plupart des poissons en boîte ou fumés, le jus de tomate, les plats congelés, les céréales, les glaces et les gâteaux ? Même la plupart des eaux minérales contiennent du sel. La liste, hélas, est interminable. Les industries alimentaires n'ayant pas l'obligation d'indiquer sur les étiquettes la quantité de sodium, le consommateur en absorbe des quantités qu'il ne peut pas contrôler.

Si quelqu'un qui souhaite perdre cinq kilos renonce au sel, il les aura perdus en deux mois.

Cependant, un régime sans sel ne saurait être de longue durée. La sagesse est de manger sans sel pendant une période « d'attaque », puis, par la suite, d'user de sel avec modération.

Le sucre et les autres hydrates de carbone raffinés

La santé, l'énergie, l'état général dépendent de la qualité des éléments nutritifs dont dispose notre organisme.

C'est particulièrement vrai des hydrates de carbone, qui incluent le principal messager de la mauvaise santé : le sucre. C'est lui qui les a entachés d'une mauvaise réputation. Mais les hydrates de carbone hautement raffinés, comme les farines blanches, sont presque aussi mauvais.

Quand vous mangez un bonbon, sachez qu'il contient surtout du sucre ou sucrose qui est transformé instantanément en glucose. Ce glucose n'est pas assimilé dans l'intestin grêle, mais absorbé par le sang dès que vous avez avalé le bonbon. L'effet sur votre organisme peut être comparé à celui d'une drogue — toutes proportions gardées bien entendu. Vous ressentez un brusque plaisir, puis un « manque » et le besoin d'un autre bonbon. J'en ai connu et traité beaucoup de ces drogués du sucre.

Ils sont nerveux, hypertendus, impatients et instables par

périodes. Pensez-y. Et remarquez que les enfants qui ne tiennent pas en place sont gavés de bonbons, de biscuits et de sodas. Le démon du sucre vous prend à la gorge, et vous ne pouvez plus vous en débarrasser. Plus vous en consommez, plus vous en désirez. Le sucre ne contient ni vitamines ni sels minéraux. En fait, il crée et accroît un déficit en vitamines B, qui sont tellement vitales pour notre organisme. En outre, le sucre blanc cause aussi de petites lésions et une accumulation de mucus sur la paroi intestinale, ce qui entraîne en général la constipation. L'alimentation devrait être un processus de construction et d'entretien du corps, non de démolition. Les sucres et les farines raffinées détruisent beaucoup plus qu'ils n'apportent.

Les méfaits de la manipulation des aliments

L'aliment possède en lui-même tout ce qui est nécessaire pour la digestion. Mais l'homme intervient et l'altère pour lui donner une meilleure apparence.

Ainsi :

Le pain blanc : certains ne jurent que par lui, il a bonne réputation et on se demande pourquoi. Pour confectionner ce superbe produit, on débarrasse la graine de blé dur du son (fibre et cellulose) et du germe (vitamines B), puis on blanchit la farine, enlevant les derniers éléments nutritifs.

Or c'est uniquement quand les aliments demeurent dans leur équilibre propre et naturel qu'ils peuvent travailler pour l'organisme. Autrement, ils se retournent contre lui.

Les arachides grillées : c'est-à-dire les amandes, noisettes et autres cacahuètes que l'on picore à l'apéritif. Leur principal élément digestif, la lécithine, ne survit pas à la chaleur du four où elles sont grillées.

Le lait pasteurisé : comme on l'a vu, la pasteurisation détruit la lécithine, supprimant tout espoir de pouvoir digérer le lait.

L'huile : les huiles sont une source vitale et naturelle car elles contiennent trois acides gras que l'organisme ne produit pas lui-même. Les huiles sont principalement extraites d'olives, de noix, de graines de tournesol, de graines de maïs, de pépins de raisins et d'arachides. Quand le procédé d'extraction comporte une phase de chauffage, la chaleur détruit ces acides gras, et, avec eux, leur remarquable action sur la digestion. Les huiles pressées à froid ne présentent pas cet inconvénient (l'indication est portée sur la bouteille).

Les vitamines

Pas ou presque pas de vitamines dans votre pain blanc, dans votre riz traité, dans votre sucre raffiné. Il en reste heureusement dans certains aliments qui figurent dans mon régime. Mais n'allez pas acheter des vitamines en pilules ou en comprimés chez votre pharmacien ! Elles sont chimiques et tout produit chimique ingéré fait grossir.

Ne croyez pas tout ce que l'on vous a dit

Avant que vous n'appliquiez vos nouvelles connaissances et puissiez découvrir les plaisirs du Régime de Hollywood, je voudrais détruire quelques-uns des grands mythes de la diététique, car il vous faut abandonner toutes vos idées préconçues à propos de traitements amaigrissants, œuf dur, grillade nature, fromage blanc à 0 %, demi-pêche pochée... Tout ceux qui ont des kilos à perdre connaissent la tristesse de ce type d'alimentation et savent que l'on « craque » rapidement. Quant aux aliments diététiques basses calories, vous savez ces galettes dites miraculeuses et ces mixtures écœurantes destinées à remplacer un repas normal, n'y croyez pas davantage. Non plus qu'aux diverses préparations diététiques qui encombrent les rayonnages chez votre pharmacien, car les assaisonnements diététiques, les beurres diététiques, les biscottes diététiques, la mayonnaise diététique et la plupart des aliments diététiques sont bourrés de sodium. Dans presque tous les aliments « diététiques », les calories sont remplacées par des produits chimiques qui les rendent non digestibles. Donc, ils font grossir.

Réglons aussi leur sort aux salades composées dont beaucoup de candidats à la minceur font leur alimentation quotidienne.

La salade du chef, laitue, tomate, thon, gruyère, poulet, chicorée et œufs durs, laitue et crevettes, ou toute autre formule du même genre, comportent des protéines. Le problème de ces salades est double : la « verdure » ne sera pas assimilée et restera dans un coin de l'estomac à cause des protéines d'accompagnement, et la sauce apporte trop de sel.

Imaginez la taille de votre estomac : c'est celle d'un petit pamplemousse. Et nous obligeons un tel volume à y prendre place ! Ne vous étonnez pas d'avoir des difficultés digestives !

Autre vedette des régimes, *le pamplemousse* (et son amie l'orange). Les a-t-on assez célébrés les mérites des pamplemousses ! En fait, ils ne comptent qu'un très petit nombre d'enzymes actives, si on les compare à d'autres fruits. Manger des pamplemousses c'est mettre un cautère sur une jambe de bois. Ils ne servent pas à grand-chose. Le total de vitamine C que l'on en tire est bien trop élevé. Le total de vitamine A est négligeable. Et la plupart des éléments nutritifs sont concentrés dans les membranes blanches et la peau. Avez-vous essayé de manger des écorces d'orange et de pamplemousse ?

De l'avis général, le pamplemousse est à basses calories. Mais il faut se souvenir que basses calories égalent basse énergie. Absorbez une faible énergie, et vous n'obtiendez qu'une faible énergie.

Le citron. Ce que j'ai dit pour le pamplemousse et l'orange est également vrai pour le citron. Il contient une substance chimique spéciale qui neutralise la pepsine très importante pour digérer les protéines. Avalé avec ou sur des protéines — même une toute petite goutte sur du poisson ou du poulet — il neutralise la pepsine et rend non digestibles les protéines, ce qui entraîne une prise de poids.

Les œufs : L'élément qui rend les œufs digestes, la lécithine, se trouve dans le jaune, et il est détruit par la cuisson. Par ailleurs, il y a un élément dans le blanc d'œuf qui, s'il est mangé cru, détruit les vitamines B. Cuit, il n'apporte rien non plus à l'organisme. Alors le fameux régime à base d'œufs durs est à long terme un suicide.

Le blanc de poulet sans peau (et toute autre protéine animale sans peau) : la peau contient des éléments nutritifs essentiels. Quand on l'enlève, on réduit fortement la digestibilité de la chair. Par ailleurs, le poulet n'a-t-il pas meilleur goût tel que la nature l'a fait, avec sa peau ?

Les légumes crus : Oui, ils sont à basses calories, mais aussi à basse énergie. Alors, quel intérêt ?

Les repas équilibrés : Il est grand temps de proclamer que le classique repas équilibré — crudités, viande, légumes, fromage, dessert, même consommés en quantités limitées — n'a jamais fait maigrir personne. Pourquoi ? Parce que les carbonés d'un tel repas vont rester bloqués dans l'estomac. Ils ne seront pas correctement digérés parce que la digestion des protéines se fera en priorité : Considérons le cas d'un steak accompagné de pommes de terre cuites à la vapeur. Les pommes de terre qui sont des carbonés restent prisonnières dans l'estomac et fermentent. Que donnent des pommes de terre fermentées ? De la vodka. Pourquoi pensez-vous que tant de gens s'endorment après un tel repas ? Une autre preuve ? Cela donne des gaz, ce qui signifie que la nourriture est en train de fermenter. Les protéines, c'est-à-dire la viande, sont la seule partie d'un repas équilibré qui ait une certaine valeur ; le reste est annulé. C'est le bon équilibre entre les carbonés, les graisses et les protéines qui nous conserve minces, en bonne santé et pleins d'énergie. Si le traditionnel « repas équilibré » était une bonne chose, pensez-vous que plus de soixante-dix millions d'Américains seraient trop gros ?

Les lois des enzymes qui gouvernent le corps humain sont les mêmes pour tous. La capacité de chacun à les appliquer est différente. Ma méthode va vous permettre d'avoir votre régime personnalisé, celui qui vous convient à vous, tout particulièrement. Mais, avant d'en venir à votre programme alimentaire, j'ai encore ceci à vous dire : en mettant au point le Régime de Hollywood, pour moi puis pour mes clients, je n'ai jamais perdu de vue le pouvoir des émotions. Je sais que notre sensibilité est inextricablement liée à notre alimentation, et que tout régime de longue durée, par définition, doit non seulement tenir compte de l'esprit et de l'estomac, mais aussi du cœur.

Ceux qui aiment manger, les « mangeurs », appartiennent à une catégorie spéciale : la plupart d'entre nous, à un moment ou à un autre, ont été définis comme « sensibles ». Et on le dit toujours, avec des sous-entendus, comme si la sensibilité était répréhensible, scandaleuse. Les mangeurs ont des sensations. Leur besoin de manger ne vient pas d'une faim physique mais émotionnelle.

C'est leur cœur qui a besoin d'être nourri, leur âme qui a besoin d'être alimentée. C'était mon cas et celui de tous ceux que j'ai traités avec succès.

Nous avalons nos déceptions, nous avalons nos peines, nous avalons notre colère, nous avalons notre fierté. Nous, les mangeurs, nous avalons toutes nos sensations parce que, en public, et parfois aussi en privé, c'est la seule façon de se comporter pour survivre à nos problèmes.

Nous mangeons quand nous sommes heureux. Nous mangeons quand nous sommes tristes, quand nous avons trop à faire ou rien à faire. Nous mangeons quand nous voulons échapper à la vie quotidienne ou au contraire nous y replonger. Quand un cauchemar nous éveille au milieu de la nuit, la nourriture nous ramène à la réalité.

Quand notre douleur est intense, la nourriture nous console, ou du moins nous le pensons. Ce n'est pas vrai : elle nous cause de nouveaux désagréments et cela ne fait que prolonger notre misère. Mais, nous nous en moquons, obsédés par le plaisir réel et transitoire de manger.

Les mangeurs sont des gens beaucoup plus sensuels que les non-mangeurs. Après tout, qu'est-ce que la nourriture sinon une expérience hautement sensuelle ? Et comme notre éducation nous a généralement habitués à repousser notre sensualité naturelle, celle que nous éprouvons en mangeant devient génératrice de crainte et nous mangeons souvent non seulement pour satisfaire nos besoins mais aussi pour les masquer, tant à nous-mêmes qu'aux autres.

Les mangeurs sont des gens créatifs et décidés. Quand leur énergie ne trouve pas à s'employer, leur consolation est la nourriture.

Parfois aussi, après une réussite, ils ressentent une sensation d'angoisse (à l'idée qu'il leur faudra encore se surpasser), ou de « vide » car ils ont donné — au moins provisoirement — le meilleur d'eux-mêmes. Alors ils mangent pour étouffer leur angoisse, ils mangent pour remplir ce vide frustrant.

Se nourrir avec excès est une réponse émotionnelle à une situation émotionnelle. Je ne vais pas pouvoir modifier votre caractère, vos réactions, vos sentiments, j'en serais bien incapable. Mais ce que je peux faire pour vous, c'est vous apprendre à penser à votre corps, et à considérer les aliments non pas comme des compensations, mais comme des élements essentiels à votre santé et à votre bien-être. Je vais vous enseigner un mode d'alimentation qui vous permettra d'être aussi insatiable que vous le désirez. Je ne vais pas vous dissuader de manger, mais vous apprendre à savoir manger.

IV

Le Régime Hollywood

Les dix commandements

A appliquer dans votre vie quotidienne pour vous assurer une minceur éternelle.

1/ Faites le compte de chaque bouchée. Ce ne sont pas les repas gastronomiques qui font grossir. C'est le grignotage inconsidéré de n'importe quel aliment.

2/ Pensez à l'avance à ce que vous voulez manger. Si vous êtes prévoyant rien ne vous fera grossir.

3/ Ce régime est votre régime, pas celui de quelqu'un d'autre. Construisez-le autour des aliments que vous aimez.

4/ Faites de votre balance votre meilleure amie. Elle vous dit ce qui marche et ce qui ne marche pas, et non si vous avez bien ou mal agi.

5/ Si vous ne pouvez pas obtenir quelque chose maintenant, vous l'aurez plus tard. Si ce n'est pas pour aujourd'hui, c'est pour demain. Rien ne va disparaître de la surface de la planète. Tous les restaurants ne vont pas être brutalement réduits en cendres, ni les pâtisseries ni les charcuteries et autres temples de la nourriture.

6/ Pensez à la nourriture en termes de futur, pendant toute votre vie et non pas seulement maintenant.

7/ L'alimentation, c'est de l'énergie, votre énergie. La façon dont vous vous sentez et dont le monde vous ressent dépend de votre énergie. Et cette énergie ne vient que d'une seule chose : la nourriture que vous mangez.

8/ Faites de la nourriture une expérience, et expérimentez la nourriture. Vous avez le droit de l'apprécier.

9/ Fixez-vous des buts réalistes. Ne vous installez pas dans l'échec. Ne soyez pas une victime.

10/ Vous devenez une personne mince en perdant votre mentalité de gros — physiquement, intellectuellement et émotionnellement.

Et, maintenant, entrons dans les détails du Régime de Hollywood.

Première phase :
une période de trois semaines

Chaque gros est sérieusement sous-alimenté de certains éléments et sur-nourri pour d'autres. Aussi, pendant ces trois premières semaines, allez-vous, tout en le nourrissant, nettoyer votre organisme pour le ramener à son équilibre nutritionnel naturel. Vous allez brûler votre graisse en consommant des fruits contenant des enzymes hautement actives ; vous allez nourrir votre corps de doses concentrées de vitamines et de sels minéraux. Vous allez éliminer de votre corps l'eau excédentaire et, une fois pour toutes, vous débarrasser de tous les bourrelets graisseux qui déforment votre silhouette.

Si vous êtes trop gros, cela signifie que vous mangez trop de certains aliments et pas assez d'autres. Ce sont ces « autres » que vous allez découvrir.

Vous allez sûrement goûter quelques-uns de ces autres aliments pour la première fois. La première semaine, vous mangerez beaucoup de fruits, frais et non traités si possible.

Pas question de compter les calories ni de peser des rations. Vous ne maigrirez pas beaucoup si vous mangez peu. C'est exactement le contraire qui se produira.

Mon régime est conçu pour accroître votre sensibilité aux aliments. C'est pourquoi vous allez essayer ces aliments dans un ordre très précis — un ordre qui vous aidera à obtenir tout le pouvoir nutritif de la nourriture, et à construire un corps en bonne santé, bien équilibré et au fonctionnement harmonieux.

Vous ne devez pas avoir faim. Vous aurez votre content. Vous êtes autorisé à « faire le plein ». Oubliez les horaires imposés, petit déjeuner, déjeuner et dîner — mangez quand vous avez faim. Vous perdrez du poids en nourrissant votre organisme, non en l'affamant. Au bout de trois semaines, quand votre sensibilité sera correctement développée, et votre système digestif suffisamment reposé, vous serez capable de reprendre des protéines animales : bœuf, poulet, poisson et œufs. Les produits laitiers seront les derniers aliments traditionnels à réintroduire dans votre alimentation.

Cette période courte mais efficace de votre prise de conscience vous permettra de tester tout ce qui entre dans votre organisme en fonction de ses effets sur votre énergie, votre état d'esprit et votre condition physique. Vous commencerez à penser à l'alimentation non dans le moment présent — mais pour l'avenir, pour le reste de votre vie ; alors vous choisirez ou repousserez les aliments en fonction de la façon dont vous les ressentez. Vous commencerez à être saturé du sel et à raffoler d'ananas. Vous comprendrez cette affirmation : « Vous êtes ce que vous mangez », et vous vous sentirez trop bien pour vous permettre à nouveau de vous sentir mal. Vous ne pourrez plus vous passer du petit ananas doré, symbole d'éternelle minceur.

Les exercices non physiques qu'il faut effectuer à la fin de chaque semaine sont une part décisive du processus, une partie intégrante du régime. Devenir mince et le rester occupe plus qu'un simple régime. Je ne pourrai jamais assez insister sur l'importance de ces exercices.

Pour les cinq semaines suivantes, nous allons passer un accord, vous et moi. Abandonnez-vous — et allons-y ! Une des raisons pour lesquelles mon régime est si efficace est que vous n'avez à vous concentrer que sur une seule chose :

maigrir. Vous abandonnez la responsabilité des choix. Ne vous faites pas de souci, rien ne va disparaître de la planète — tout sera encore là demain matin. Toute la nourriture que vous aimez, ou que vous pensez aimer, sera toujours disponible à chaque fois que vous le souhaiterez.

Important : Tout régime, celui-ci compris, doit être surveillé par un médecin. Ce régime ne doit pas être suivi par les personnes atteintes de diabète ou souffrant de colite, d'hypoglycémie, de spasmes du côlon, d'ulcères, d'entérite, ni en cas de grossesse ou d'alimentation au sein.

Les règles du jeu : mettez tous les atouts de votre côté

Quelques recommandations :

1/ Pesez-vous quotidiennement et notez votre poids sur une feuille que vous trouverez chez votre pharmacien ou sur celle qui vous indique votre régime de la semaine. Puis annoncez votre poids à quelqu'un, la même personne chaque jour. Vous affrontez votre poids en vous pesant. Vous l'admettez en l'écrivant. Et vous vous en débarrassez en le confiant à quelqu'un. N'essayez pas de vous en souvenir. Oubliez-le. Si vous n'avez pas de balance, il faut en acheter une tout de suite. Si vous ne vous pesez pas, vous ne perdrez pas de poids.

2/ Mangez les aliments seulement dans l'ordre que je vous donne. Ne vous livrez pas à des fantaisies. Un aliment suit un aliment, et le programme d'une journée suit celui d'une autre pour des raisons très précises.

3/ Si le régime précise que vous devez manger une certaine quantité d'un aliment, vous devez avaler cette quantité, même si elle vous paraît trop copieuse. Prenez votre temps, mais mangez tout.

4/ Si une quantité n'est pas précisée, mangez sans limites — autant que vous voulez, jusqu'à satiété. Plus vous mangerez, plus vous perdrez de poids. J'insiste. Vous perdez du poids en alimentant votre organisme, non en l'affamant. Souvenez-vous : vous avez la permission de faire le plein.

5/ Achetez en quantité supérieure à vos besoins. Plus de deux kilos de raisins pour une journée « raisin » ce n'est pas excessif, même si à première vue vous pensez que c'est énorme.

7/ Mangez lentement. Il n'est pas question d'avaler en un temps minimum mais de faire durer le plaisir au maximum.

7/ Ne choisissez des aliments congelés que si les frais ne sont pas disponibles. Renoncez aux aliments en boîte, à cause de leur teneur en sodium.

8/ Ne substituez des fruits secs à des fruits frais que si ces derniers ne sont pas disponibles. Mais quand je note : raisins secs, il s'agit bien de raisins secs.

9/ Ne mangez que les aliments indiqués sur la liste.

10/ Attendez deux heures avant de manger des fruits différents.

11/ Attendez trois heures avant de manger les autres espèces d'aliments, c'est-à-dire fruits et carbonés, fruits et protéines, carbonés et carbonés, carbonés et protéines, protéines et protéines.

12/ Les fruits secs doivent être dé-sulfurisés (pas de dioxyde de soufre, de conservateurs ou de bain de soude). Faites tremper dans de l'eau tous les fruits secs, sauf les raisins et les dattes, pendant une heure puis égouttez-les.

13/ Toutes les noix et les graines doivent être naturelles et non salées.

14/ N'utilisez que de l'huile pressée à froid.

15/ Ne consommez que du beurre non salé. Prenez du beurre laitier. C'est un beurre fabriqué à partir de lait ni pasteurisé ni homogénéisé. On en trouve facilement.

16/ Ne buvez que de l'eau, du café ou du thé. Pas de sodas ni d'eaux minérales gazeuses.

17/ Pas de sel, de substituts du sel ou d'assaisonnements en poudre.

18/ Pas de sucres artificiels. Des sucres naturels seulement.

19/ Pas de crème ni de lait sauf si c'est précisé.

19/ Pas de chewing-gum, même sans sucre.

21/ La volaille doit être mangée avec sa peau. Elle contient des élements nutritifs essentiels.

22/ Ne jetez rien. Mangez tout, la peau et même et surtout les graines et les pépins. Ce sont les réservoirs des enzymes. Les pépins de raisins, de pomme ou de pastèque ont une saveur que vous apprécierez sûrement.

23/ Pas de citron, à moins que ce soit précisé sur votre liste du jour. Le citron neutralise l'enzyme des protéines, la pepsine.

24/ Si, dans cette liste, se trouve de l'alcool, ne vous croyez pas obligé d'en boire. C'est toujours alcool *ou* pain beurré, alcool *ou* pâtisserie...

25/ Le jour s'achève quand vous vous endormez et le suivant commence à votre réveil et non quand le réveil indique minuit. Si vous vous réveillez au milieu de la nuit et que vous avez trop faim pour arriver à vous rendormir, mangez le même aliment que celui que vous avez consommé en conclusion de votre repas avant d'aller vous coucher.

Il faut vous en tenir scrupuleusement à ce qui est programmé. L'enzyme de chaque fruit a un effet unique, spécifique, irremplaçable. Les premières semaines, lors du grand nettoyage, les combinaisons des aliments et l'ordre dans lequel vous les mangerez sont particulièrement importants. Mais, suivant l'endroit où vous vivez, vous pouvez avoir du mal à vous procurer certains produits. Dans ce cas, remplacez-les par ce que j'appelle des substituts.

Aliments frais	Substituts
Amandes	Noix de cajou, noix du Brésil
Ananas	Fraises fraîches ou surgelées
Artichauts	Asperges, choux, brocolis
Bretzel	Pain de votre choix, non sucré
Cassis	Groseilles
Cerises	Raisin frais, fraises fraîches ou surgelées
Fraises	Ananas, fraises surgelées
Framboises	Framboises surgelées
Groseilles	Myrtilles
Maïs	Maïs surgelé
Mangue	Pomme, kaki
Kaki	Pomme, ananas
Kiwi	Pomme, ananas
Papaye	Ananas, kaki, kiwi, mangue, groseilles ou framboises fraîches ou surgelées
Pastèque	Raisin frais, groseilles, framboises fraîches ou surgelées
Poulet	Poisson, dinde, canard
Prunes	Figues sèches, ananas
Steak (bœuf)	Mouton, veau, dinde, poisson
Raisins	Pommes

A vous de jouer, mais sans tenir compte de vos goûts et sachez que, par exemple, les papayes — difficiles à se procurer — peuvent être remplacées par des pommes, mais que le poulet, même si vous lui préférez le canard, sera plus efficace pour votre régime.

Le plus important :
Pesez-vous chaque jour, et cela dès le premier jour. Si vous ne le faites pas, mon régime ne marchera pas. Les personnes qui le ratent sont celles qui refusent de se peser, ou qui continuent à consom.ner des sucres artificiels ou des sodas. Ne laissez pas une telle folie gâcher vos chances.

Régime Hollywood
Première semaine

Votre poids le matin

1er jour _____
2e jour _____
3e jour _____
4e jour _____
5e jour _____
6e jour _____
7e jour _____

Avertissement : Quand les quantités ne sont pas précisées, vous pouvez manger l'aliment indiqué en quantité illimitée. Notez bien votre poids chaque jour.
Dans les journées où l'on ne consomme que des fruits, il n'y a pas d'horaires de repas à respecter.

	Matin	Midi	Soir
1er jour	ananas, à consommer tout au long de la journée, mais arrêter 2 h avant les bananes		2 bananes
2e jour	papaye ou pomme	ananas	pommes ou mangues
3e jour	pommes ou kiwis	ananas	pommes ou kiwis ou kakis
4e jour	pastèques ou framboises fraîches ou surgelées		
5e jour	2 bananes	abricots secs 240 g	myrtilles ou cassis
6e jour	pruneaux 240 g	fraises fraîches ou surgelées ou ananas	2 bananes
7e jour	pastèques ou pommes		

Analysons ensemble
votre première semaine :

Au cours de cette première semaine, vous ne mangerez que des fruits. N'oubliez pas d'attendre deux heures avant de passer d'un fruit à un autre. Avant de vous y décider, assurez-vous que vous ne voulez plus du fruit précédent. Une fois que vous en avez fini avec celui-ci vous ne pourrez plus en reprendre.

Si votre journée se termine avec une indication de quantité limitée, souvenez-vous que c'est la dernière chose que vous pouvez manger. Reculez le moment fatidique le plus tardivement possible dans la soirée, de façon à ne pas éprouver une sensation de faim. Vous pouvez même consommer votre dernière ration dans votre lit, avant de vous endormir.

Beaucoup d'ananas, pour le premier jour, vous verrez, un ananas mûr à point c'est délicieux. Quantité illimitée pour apaiser votre faim, mais si vous vous sentez saturée de ce fruit pourtant délicieux, dites-vous bien que ce sont des enzymes qui vont brûler les graisses et digérer toutes les protéines excédentaires qui encombrent votre organisme.

Il en va de même pour les papayes : mais si, comme je le crains, vous avez des difficultés à vous en procurer en dehors des grandes villes, croquez des pommes... Eve l'a fait avant vous.

Mes conseils
pour la première semaine

Le premier jour : mangez autant d'ananas que vous en avez envie, au moment où vous en aurez envie sans vous préoccuper des horaires classiques des repas. Vous en mangerez probablement au moins deux. Puis mangez vos deux bananes. N'oubliez pas d'attendre deux heures avant de passer des ananas aux bananes.

Le deuxième jour : six à neuf papayes ou pommes, contrairement à ce que vous pouvez penser, n'ont rien d'excessif.

Les quatrième et septième jours : prévoyez au moins une pastèque entière. Ne mangez les fraises et les pommes que lorsque vous aurez fini votre pastèque. A défaut de pastèques qui sont des fruits de plein été, rabattez-vous sur les raisins frais dans la mesure du possible, puis sur les raisins secs ou encore les groseilles ou les framboises fraîches. Hors saison, ces mêmes fruits surgelés feront l'affaire et vous en trouverez dans toutes les grandes surfaces à longueur d'année.

Exercice pour
la première semaine :
La feuille de fierté

Non, ce que je vais vous demander de faire n'a rien de puéril. Vous verrez que vous prendrez goût à remplir votre *feuille de fierté :* ayez une feuille de papier près de votre lit. Chaque soir, avant d'aller vous coucher, écrivez trois choses que vous avez faites dans la journée, dont vous êtes fier, et qui n'ont aucun rapport avec le régime.

Quand on est gros, que l'ont ait deux ou vingt kilos de surcharge, on se sent souvent coupable quand on va se coucher. Oubliant tout ce que l'on a pu faire de bien dans la journée, la dernière chose à laquelle on pense avant de s'endormir est que l'on est toujours trop gros.

Arrêtez d'entretenir cette mentalité de gros : arrêtez de remâcher vos échecs.

Accentuez les aspects positifs de votre vie. Il s'est sûrement passé des petites choses intéressantes qui ont marqué votre journée ; la lecture d'un chapitre d'un bon roman, une conversation cœur à cœur avec une amie, l'achat d'une paire de collants fantaisie, l'arrangement d'un bouquet, une satisfaction professionnelle...

Mon avis sur
votre première semaine :

Félicitations ! N'êtes-vous pas fier de vous-même ? Vous êtes plein d'énergie, vous avez perdu du poids et le processus de nettoyage a commencé. Vous qui pensiez ne jamais être capable de vivre une journée entière uniquement avec de la pastèque ou du raisin. Et ça n'a pas été vraiment difficile, n'est-ce pas ?

Et à propos de l'exercice quotidien : avez-vous remarqué combien vous vous sentiez différent à votre réveil — un peu plus positif, peut-être ? Gardez le principe de la feuille de papier. C'est quelque chose que, moi-même, je fais chaque soir. Etablir un juste bilan de la journée écoulée, cela m'aide vraiment.

Maintenant, vous êtes prêt pour la deuxième semaine.

Régime Hollywood
Deuxième semaine

Votre poids le matin

1er jour _____
2e jour _____
3e jour _____
4e jour _____
5e jour _____
6e jour _____
7e jour _____

Avertissement : quand les quantités ne sont pas précisées, vous pouvez manger l'aliment indiqué en quantité illimitée. Notez bien votre poids chaque jour.

Dans les journées où l'on ne consomme que des fruits, il n'y a pas d'horaires de repas à respecter.

	Matin	Midi	Soir
1er jour	pruneaux 250 g	fraises fraîches ou surgelées	raisins secs 250 g
2e jour	raisins ou pastèques ou pommes, à satiété, tout au long de la journée.		
3e jour	raisins ou pastèques ou pommes, à satiété, tout au long de la journée.		
4e jour	trois bretzels ou 250 g de votre pain préféré		3 épis de maïs 2 cuill. à soupe de beurre
5e jour	ananas à satiété, mais arrêtez d'en manger 3 h avant le dîner		Salade Mazel et sauce Mazel (recette pages 166 et 170) Pommes de terre cuites avec 2 cuill. à soupe de beurre
6e jour	pommes à satiété, tout au long de la journée		
7e jour	mangues ou kakis ou kiwis ou prunes, à satiété, tout au long de la journée.		

Analysons ensemble
votre deuxième semaine

N'oubliez pas que le but de ces premières semaines est de purifier votre organisme en trois étapes : brûler les excédents, nourrir le corps et nettoyer l'organisme.

La semaine dernière, nous nous sommes appliqués plus particulièrement à « brûler » les excédents qui se traduisent en kilos superflus et à amorcer le processus de nettoyage de l'organisme. Nous allons maintenant porter tous nos efforts à nourrir votre corps, à répondre à ses besoins vitaux.

C'est la concentration de sels minéraux dans les fruits secs et les fruits qui va nous aider à corriger le déséquilibre minéral de l'organisme. Ce déséquilibre est dû généralement à l'alimentation moderne qui comporte beaucoup d'éléments chimiques, notamment des produits assurant la conservation et les colorants industriels. Ce qui provoque un déséquilibre organique en sels minéraux... et fait grossir. Malheureusement, la plupart des fruits secs du commerce sont traités au dioxyde de soufre. Or si nous introduisons des éléments chimiques dans notre organisme, nous vouons notre régime à l'échec. Achetez donc vos fruits secs dans un magasin spécialisé dans la vente des produits diététiques et biologiques.

N'oubliez pas que tous les fruits secs doivent être trempés

dans de l'eau pour leur rendre une partie de l'humidité que le séchage leur a fait perdre. Les fruits contiennent 80 % d'eau et cela les rend plus digestes. Quand l'eau est enlevée, le fruit sec devient difficile à digérer et un peu trop concentré pour que votre organisme en tire parti.

Les enzymes des fruits vont se combiner avec celles du gros intestin pour le nettoyer et purifier votre paroi intestinale. Il aide également à accumuler par l'absorption de sucre car, même si vous n'étiez pas un grand consommateur de sucreries, vous en avez absorbé sans le savoir dans nombre d'aliments quotidiennement présents sur votre table : soupes en boîtes ou en sachet, sauces en tube, sel, assaisonnements en poudre et même votre dentifrice. La liste est interminable.

Mes conseils pour
la deuxième semaine

De nouveaux aliments vous sont maintenant autorisés mais n'oubliez pas la règle de base : attendre trois heures entre deux aliments autres qu'un fruit suivant un autre fruit. Entre deux fruits, attendez deux heures ; entre un fruit et autre chose (protéines, carbonés) attendez trois heures. Ce temps d'attente est vital. Je ne dis pas une heure et cinquante minutes ou deux heures et vingt minutes, mais deux heures et trois heures !

Le huitième jour, il y a deux indications de quantité limitée. Ne vous affolez pas. Vous n'allez pas mourir de faim. Mangez toutes vos prunes avant les fraises (vous savez, d'après le petit tableau de la page 70 que, hors saison, vous pouvez remplacer les fraises fraîches par de l'ananas et les prunes par des figues sèches). Quand j'indique 240 g c'est 240 g, ni plus ni moins. Même si vous les mangez en plusieurs fois, ce qu'on fait souvent lorsqu'on suit le Régime de Hollywood, mangez les 240 g. Puis vous pourrez commencer à manger les fraises. Souvenez-vous que vous n'avez qu'une quantité limitée de raisin et que c'est la dernière chose que vous pourrez manger ce huitième jour. Donc, n'arrêtez pas les fraises trop tôt et ne commencez pas les raisins trop vite.

Les neuvième et dixième jours, le raisin est excellent pour les mangeurs effrénés. Vous pouvez le picorer grain par grain. Rien ne vous empêche d'en consommer plus de deux kilos dans la journée, du blanc, du noir, du muscat, du chasselas, à votre gré. Avalez aussi les pépins, je vous ai dit à quel point c'est important.

Le onzième jour. Le onzième jour, répartissez votre ration de pain dans la journée et mangez le maïs le soir. Si vous consommez tout votre pain, vous aurez faim l'après-midi. Ne pensez surtout pas que vous êtes sous-alimenté. Ces quantités sont tout à fait suffisantes. Je les ai testées sur de très grands mangeurs. Ils n'ont pas eu faim... Alors pourquoi auriez-vous faim? Le maïs nettoie l'intestin, mais limitez-vous à la quantité de beurre indiquée.

Le douzième jour, ananas toute la journée. Gardez la salade pour le soir. Il vaut mieux la manger en une seule fois, mais vous pouvez répartir si vous le voulez. Mâchez-la bien, surtout.

Le treizième jour, vous pouvez manger n'importe quelle sorte de pommes. Et je le répète, mangez les pépins et la peau. N'oubliez pas de laver et de sécher ces fruits car ils sont généralement traités. Il n'y a pas de limite à la quantité de pommes de terre que vous pourrez absorber. N'hésitez pas à en manger deux grosses. Une troisième si vous en mourez d'envie. Mais la pomme de terre gonfle dans l'estomac, et, si vous en mangez trop, vous vous sentirez mal à l'aise. Je le sais par expérience. Les pommes de terre sont comme des éponges assoiffées. Elles adorent être imbibées de beurre. Il vous faudra cependant respecter la ration de beurre que je vous prescris.

Le quatorzième jour, mangues ou kakis, ou kiwis, ou prunes mais autant que vous en voudrez. Ces fruits ont des propriétés amaigrissantes magiques. Vous savez que vous pouvez éventuellement les remplacer par des ananas que l'on trouve partout et à longueur d'année.

Exercice pour
la deuxième semaine :
les trois questions

Votre corps a changé. Regardez-vous dans votre glace et soyez heureux de cette première étape de votre transformation. Demandez à trois personnes qui comptent dans votre vie les trois choses qu'elles aiment le mieux en vous. Ne commentez pas leurs réponses. Ecoutez seulement, avec attention. Rentrez chez vous et écrivez ce qui vous a été confié. Prenez du plaisir à ces informations positives et sachez que ce n'est que le début de ce qui va devenir un courant continu de compliments. Je parie que l'on vous a dit : « Ton teint est lumineux », ou « Mais tu as maigri ! », ou encore : « Comme cette robe te va bien », et « Tu débordes d'énergie, ma parole ! »

Quelle satisfaction... Non seulement vous avez perdu du poids, mais vous l'avez fait en mangeant du maïs et des pommes de terre ! Et vous n'avez pas eu faim, n'est-ce-pas ?

Vous continuez bien sûr à vous peser chaque jour et à dire votre poids à la personne que vous avez choisie pour vous confier. Allons de l'avant et voyons le programme de votre troisième semaine.

Régime Hollywood
Troisième semaine

Votre poids le matin

1er jour _____
2e jour _____
3e jour _____
4e jour _____
5e jour _____
6e jour _____
7e jour _____

Avertissement : Quand les quantités ne sont pas précisées, vous pouvez manger l'aliment indiqué en quantité illimitée. Notez bien votre poids chaque jour.

Dans les journées où l'on ne consomme que des fruits, il n'y a pas d'horaires de repas à respecter.

	Matin	Midi	Soir
1er jour	2 bananes	raisins secs 225 g	amandes (120 g) ou noix de cajou 120 g
2e jour	ananas		L.T.O. avec sauce Mazel (recette page 166)
3e jour	courgettes	haricots verts et champignons (2 cuill. de beurre pour la journée)	artichauts ou brocoli ou ou chou-fleur
4e jour	kiwis ou kakis ou pommes		ananas
5e jour	pommes		steak ou crabe ou homard (avec 1 cuill. à soupe de beurre non salé)
6e jour	poulet à satiété tout au long de la journée		
7e jour	pastèque ou ananas à satiété tout au long de la journée		

Analysons ensemble
votre troisième semaine

Alors que se poursuit le nettoyage de votre organisme, vous allez commencer à élargir la gamme des aliments auxquels vous avez droit. Tout d'abord viennent les noix qui sont une variété particulière de protéines ; puis du steak ou du crabe ou du tourteau (du homard si vous pouvez vous offrir cette folie) sans limitation de quantité. A propos de homard, le surgelé est excellent et abordable. Et puis vous mangerez du poulet — avec sa peau — cuit à la façon que vous aimez. Et aussi des légumes et même un peu de beurre.

Mes conseils pour
la troisième semaine

Le quinzième jour, n'oubliez pas d'attendre trois heures avant de passer des raisins secs aux noix, qui, elles, doivent être fraîches et non salées. Mangez la totalité des 225 g de raisin.

Le dix-septième jour, souvenez-vous : pas de sel, même diététique et pas d'assaisonnement en poudre sur vos légumes. Vous pouvez prendre deux cuillerées à soupe de beurre non salé dans la journée et autant de sauce Mazel que vous le voulez (la recette de ma sauce se trouve en page 166).

Le dix-neuvième jour : Terminez votre dernière bouchée de pommes au moins trois heures avant d'attaquer votre steak ou le crustacé ; sur ce dernier, mettez une grosse noix de beurre non salé. Sur le steak, seulement de l'ail frais finement haché ou du poivre.

Le vingtième jour, vous allez vous régaler de poulet cuisiné comme vous le désirez, au four, à la cocotte, à la broche, mais sans sel ni assaisonnement autre que des fines herbes. Vous pouvez même faire sauter votre poulet ou le paner dans une petite quantité d'huile pressée à froid ou de beurre non salé. Faites appel à votre imagination, c'est si bon le poulet : surtout quand on a le droit de manger la peau !
N'achetez pas un poulet tout préparé, car il est probablement préassaisonné.

Le vingt et unième jour, vous apportera moins de plaisir gastronomique. Pastèque seulement, mais en quantité illimitée — ou à défaut, ananas à satiété.

Exercice pour
la troisième semaine :
Voyez-vous comme
les autres vous voient

Désolée, vous ne le faites jamais. Vous êtes obnubilée par vos imperfections. Mais votre corps a changé : regardez-vous. Si vous ne possédez pas un miroir en pied, c'est le moment d'en acheter un.

Passez dix minutes, nu, à vous examiner dans votre grand miroir.

Notez les transformations que vous constatez. Avez-vous minci de la taille, ou des cuisses, ou du visage ? Puis parlez-en à une personne en qui vous avez confiance, celle à qui vous dites « tout ». Si vous avez bien respecté mon programme vous avez sûrement perdu 5 kilos. Ne vous sentez-vous pas merveilleusement bien ? Aviez-vous jamais imaginé qu'un régime puisse être à la fois aussi efficace et aussi simple ?

Si vous n'aviez que 5 kilos superflus, vous pouvez donc crier victoire et passer directement au programme d'entretien. Et si vous avez perdu tout ce que vous vouliez perdre avant la fin des trois semaines, il est vital que vous poursuiviez votre régime jusqu'au dernier jour de ces trois semaines pour purifier, nourrir et nettoyer votre organisme et le préparer pour la période d'entretien.

Si vous avez trop maigri, vous pourrez toujours vous rattraper par la suite !

Deuxième phase : les quatrième et cinquième semaines

Avant d'aborder vos menus de ces deux semaines, faisons le point et examinons ce qui va être modifié dans votre alimentation.

La plupart d'entre vous n'ont pas encore perdu tout leur poids excédentaire, et beaucoup ont encore un long chemin à parcourir. Quoi qu'il en soit, vous êtes sur la bonne voie et vous pouvez avoir la certitude de parvenir au but fixé.

Le régime vous réussit, vous avez gagné en énergie ce que vous avez perdu en poids. Vous êtes plus mince et plus dynamique. Le moment est venu de vous faire plaisir.

Votre organisme a été nettoyé et convenablement nourri, l'équilibre nutritionnel rétabli. Il faut maintenant adopter un régime vraiment équilibré, tenant compte de la bonne harmonie entre les groupes alimentaires et les principes nutritifs.

A 16 heures, délayez une cuillerée à soupe de levure dans une petite quantité d'eau de façon à obtenir une sorte de pâte molle. Avalez-la, même si ça n'a pas très bon goût. Ne mangez rien une heure avant ni après, car la levure en présence d'autres aliments reste dans l'estomac au lieu d'être digérée (levure de bière, évidemment, achetée chez le pharmacien ou dans un magasin diététique).

En vous couchant, prenez deux cuillerées à soupe de graines de sésame. C'est la source la plus riche en calcium de la planète. Les graines de sésame, ce merveilleux casse-croûte du soir, apporteront aussi à votre corps des fibres supplémentaires. Et, en prime, leur apport en calcium favorisera votre sommeil en relaxant votre système nerveux.

Les fruits continueront à jouer un rôle de premier plan, celui d'agents purificateurs. Mais vous imaginez bien qu'on ne peut pas vivre que d'ananas. Nous allons donc introduire de nouveaux éléments dans votre alimentation, et d'agréables suppléments à votre menu quotidien :

Le matin au réveil, prenez deux cuillerées à soupe de flocons de son non traité (vous en trouverez dans les magasins spécialisés et dans la plupart des grandes surfaces) et puis buvez une boisson chaude, non sucrée (thé, café ou tisane). Attendez 45 minutes avant de manger ce qui figure à votre menu du jour. Le son nettoie et nourrit. Il est important que vous absorbiez cet aliment riche en fibres alors que votre estomac est vide, sinon il gonflerait.

Les repas combinés

Comme je vous l'ai dit, on ne peut pas vivre exclusivement d'ananas. Il est temps pour vous de faire des repas combinés.

De quoi s'agit-il exactement ? Jusqu'à présent, vous n'avez consommé qu'un seul type de repas, le mono-repas, composé d'un seul groupe alimentaire, soit des protéines, soit des fruits, soit des hydrates de carbone. Désormais, des combinaisons d'aliments vous seront autorisées, sous forme de mets ou de plats qui prendront place dans votre menu du jour. Mais vous ne pourrez pas encore manger uniquement des repas combinés.

Vous allez voir comme cela va vous sembler bon de varier ainsi vos menus. La bouche d'un mangeur ressemble au clavier d'un piano bien accordé — chaque bouchée donne une note différente, mais on n'est heureux que quand elles sont toutes en harmonie. Et les combinaisons suivantes vous révéleront des saveurs délicieuses :

Base-fruit : des fruits combinés avec du champagne, du vin ou du cognac. Une seule sorte de fruits. Les fruits ne se mélangent pas entre eux. Exemple : fraises et champagne ; raisin et vin et non pas salade de fruits au champagne ou raisin et fraises au vin.

Carbonés et maxi-carbonés, c'est la combinaison de trois carbonés, avec deux maxi-carbonés au plus. Les maxi-carbonés sont le pain, les pommes de terre, les pâtes, les céréales, les artichauts, les alcools et la plupart des desserts (pour une liste plus complète, voir chapitre III). Rappelez-vous que les corps gras vont avec tout. Exemple : légumes sautés, riz et saké (alcool de riz) ; salade, pain et beurre et gâteau au chocolat ; artichaut, pommes de terre et asperges cuites à la vapeur accompagnées de beurre.

Trois protéines : c'est la combinaison de trois protéines de n'importe quelle catégorie, sauf les noix. Les noix ne se combinent qu'avec d'autres noix. Exemple : palourdes, huîtres et tourteau ; « mixed-grill » composé d'une côte d'agneau, d'une côte de veau et d'un morceau de filet de bœuf ; crabe, steak et gâteau au fromage ; omelette aux foies de volailles et au lard.

Fausses combinaisons : Il y en a deux sortes :

1/ Un carboné et une protéine : suivez cette règle, absorbez les protéines en dernier. Mangez les carbonés d'abord, et lorsque vous avez avalé votre première bouchée de protéines, ne touchez plus aux carbonés. Exemple : salade et steak ; asperges et filets de sole ; gâteau au chocolat et poulet (oui, ici, le dessert précède le poulet).

2/ Des plats composés d'aliments divers : un steak ou de la viande hachée, une quiche ; des cannelloni ; des spaghetti avec des boulettes de viande ; un « club » sandwich ; un sandwich à la salade de thon ; une pizza, appartiennent à cette catégorie de combinaisons

En fait ce ne sont pas d'excellentes combinaisons sur le plan digestif, mais il faut que vous puissiez vous faire plaisir et manger des plats que vous aimez. A vous d'être raisonnable et de choisir les occasions où vous vous offrirez ce genre de repas.

Et n'oubliez pas qu'il s'agit de mauvaises combinaisons dont il vous faudra compenser les effets. Comment ? Eh bien ! puisqu'une mauvaise combinaison comporte toujours des protéines, tous les autres aliments que vous consommerez au cours de la journée devront être des protéines.

Base-dessert : vous ne mangez que des desserts. A midi, offrez-vous une double portion de dessert et une triple portion au dîner. Vous choisirez votre dessert préféré : tous vous sont permis, du soufflé au citron, aux cerises confites, de la tarte à la crème au gâteau au chocolat ; les glaces aussi : vous pouvez en consommer 1/2 litre à midi et 3/4 de litre le soir.

Si ce n'est pas votre dernier repas de la journée, le suivant doit être constitué uniquement de protéines.

Base-boisson. Certains d'entre nous ne peuvent boire et manger en même temps sans prendre du poids ; aussi leur faut-il choisir. Vous ne pourrez boire du vin ou du champagne qu'un jour de fruits. Si vous avez eu un déjeuner carboné, ne buvez rien d'autre qu'un alcool de grain. Si vous avez mangé des protéines, vous ne pouvez rien boire du tout.

Quand vous avez pris une boisson, attendez 2 ou 3 heures avant de consommer d'autres aliments, c'est-à-dire vos fruits du jour. Si vous buvez du vin, il faut le faire après des fruits et attendre deux heures. Si c'est un alcool de grain (vodka, whisky), trois heures d'attente.

Souvenez-vous : quand vous avez mangé tous vos fruits, vous ne pouvez plus en reprendre de la journée. Or le vin, ce sont des fruits. L'alcool, c'est un carboné. Une fois que vous avez mangé des protéines vous ne pouvez plus manger ou boire que des protéines.

Sans interdits : En fin de compte, c'est la catégorie que vous attendez tous.

Sans interdits signifie que l'on peut manger n'importe quoi et dans l'ordre que l'on veut, combiner tous les aliments, mais en le faisant avec discipline. Il ne s'agit pas de se goinfrer et prendre du poids, mais de manger comme un être humain en savourant et appréciant chaque bouchée. Savoir s'arrêter au bon moment est le point important pour vous lorsque vous aborderez les repas sans interdits. Vous devrez vous comporter raisonnablement, ne pas vous laisser aller à trop manger. Je ne vous dis pas de vous priver mais d'éviter de surcharger votre estomac. Vous n'allez pas mourir de faim, vous aurez d'autres repas, demain et tous les autres jours de votre vie.

Ainsi, vous ne prendrez pas de poids et votre peur de ne jamais pouvoir manger comme un véritable être humain disparaîtra.

A un grand dîner, j'ai vu un ami manger deux bouchées d'épinards à la florentine et s'arrêter. Alors que je pouvais facilement terminer ce que j'avais dans mon assiette, j'ai suivi son exemple à titre d'expérience. Comme il laissait la majeure partie de son merveilleux saumon au champagne, je fis de même — et j'avais les larmes aux yeux quand le serveur emporta le mien. Et cela marcha. Je mangeai comme un être humain « normal » la série de plats que comportait cet étonnant repas, ne prenant qu'une ou deux bouchées de chacun. Je n'ai pas eu de difficultés digestives, pas de nausées, ni de regret et pas de kilos supplémentaires le lendemain sur la balance. Et pas de sensation de faim : j'étais vraiment rassasiée à la fin du repas. En outre, je savais que puisque j'avais été capable de manger ce formidable repas avec modération et donc sans prendre de poids, je pouvais recommencer le lendemain.

Ce qui compte, ce n'est pas la quantité que vous avalez en un certain temps, c'est le temps pendant lequel vous faites durer le plaisir.

Bien évidemment, la meilleure manière de perdre du poids est le mono-repas, puis les repas composés exclusivement de carbonés ou de protéines. Les repas sans interdits et les fausses combinaisons ne vous feront sans doute pas maigrir. A vous de veiller à ce qu'ils ne vous fassent pas grossir. A vous d'être raisonnable.

Régime Hollywood
Quatrième semaine

Votre poids le matin

1er jour _____
2e jour _____
3e jour _____
4e jour _____
5e jour _____
6e jour _____
7e jour _____

Avertissement : Quand les quantités ne sont pas précisées, vous pouvez manger l'aliment indiqué en quantité illimitée. Notez bien votre poids chaque jour.

Dans les journées où l'on ne consomme que des fruits, il n'y a pas d'horaires de repas à respecter.

	Matin	Midi	Soir
1er jour	kakis ou pommes ou kiwis	hamburger avec mayonnaise, ketchup, ou sandwich à la salade de thon	poisson
2e jour	ananas		fraises fraîches ou surgelées et 2 verres de vin ou de champagne
3e jour	140 g de pain	mini-salade Mazel (recette p. 170)	légumes sautés, riz et saké ou un repas entièrement carboné
4e jour	pommes		popcorn ou 250 g de maïs
5e jour	pruneaux 250 g	framboises ou fraises fraîches ou surgelées	pâtes avec pain et beurre ou avec deux petits verres de vodka
6e jour	raisins ou pommes à satiété toute la journée		
7e jour	cerises ou fraises fraîches ou surgelées ou raisins		raisins secs 250 g

Mes conseils pour
la quatrième semaine

Le vingt-deuxième jour, remarquez que vous faites votre première fausse combinaison et que vous vous offrez un hamburger aussi gros que vous le désirez. Vous pouvez l'assaisonner de tout ce qui vous fera plaisir — moutarde, ketchup, mayonnaise. Mais, de grâce, pas de cornichons, ils sont beaucoup trop salés.

Le vingt-troisième jour, si vous choisissez le vin ou le champagne, vous pouvez continuer à manger de l'ananas toute la soirée.

Le vingt-quatrième jour, la quantité de pain équivaut à deux bretzels, deux croissants, ou deux belles tranches de pain. Pour les autres recettes, reportez-vous au chapitre VIII.

Le vingt-cinquième jour, pas de sel ni de beurre sur le popcorn. Le beurre parce qu'il contrecarre le travail de nettoyage de l'intestin par le popcorn. Il faut compter une tasse de popcorn non sauté. Faites-le sauter dans l'huile de maïs pressée à froid.

Eh oui, c'est vrai, *le vingt-sixième jour* comporte des pâtes, mais sans un soupçon de fromage ou de viande. C'est la présence des protéines qui rend les pâtes si indigestes. Préparez et goûtez vos pâtes avec du beurre ou de l'huile, un peu de persil frais et de l'ail, c'est un vrai délice (je vous

donne un peu plus loin plusieurs recettes de pâtes). Remarquez qu'en plus des pâtes vous avez droit à du pain, du
beurre ou deux verres de vodka.

Le vingt-huitième jour, essayez de trouver des cerises.
Elles nourrissent, elles purifient. Si vous en trouvez, mangez-
en toute la journée. Sinon, contentez-vous des fraises ou du
raisin, en quantité illimitée naturellement.

Exercice pour la
quatrième semaine :
Le jeu des trois petites phrases

« Je déteste être gros » - « Il n'y a pas de raison pour que je sois gros » - « Je ne serai plus jamais gros ».

Dites ces trois petites phrases à trois personnes de votre entourage, des amis, des relations ou même des inconnus. Mettez toute votre conviction dans ces quelques mots. Inutile de donner des explications. Tenez-vous en aux trois phrases, répétez-les comme s'il s'agissait d'un jeu.

Croyez-moi, c'est un bon « truc ». L'une de mes clientes avait atteint un « plateau », cette période inévitable où on cesse de perdre du poids. Je lui indiquai ce petit jeu. Le lendemain, elle articula tranquillement les trois phrases dans un ascenseur rempli d'inconnus. Je ne sais pas ce qu'ils ont bien pu penser d'elle, mais vingt-quatre heures plus tard, elle était sortie de la phase plateau et avait perdu 1 kilo 1/2. Pourquoi ? Parce qu'elle avait publiquement reconnu qu'elle était trop grosse, secret jusqu'alors caché en son cœur, qui la bloquait psychiquement. Et comme le psychisme réagit sur le physique, le processus d'amaigrissement se trouvait lui aussi bloqué. Il a suffi de trois petites phrases pour rétablir le circuit. J'ai souvent renouvelé cette expérience avec succès.

Voyons où nous en sommes au terme de cette quatrième semaine. Vous avez mangé des pâtes, un hamburger et du popcorn, et vous continuez toujours à perdre du poids !

Une par une, les excuses qui auraient pu vous inciter à interrompre le régime sont en train de tomber... Une par une, celles que vous aviez pour être gros s'écroulent. Bientôt, vous aurez le corps dont vous avez toujours rêvé. Vous allez constater que votre rêve devient réalité. Vous le savez maintenant, vous possédez un potentiel de minceur. Votre persévérance vous l'a prouvé.

Régime Hollywood
Cinquième semaine

Votre poids le matin

1er jour _____
2e jour _____
3e jour _____
4e jour _____
5e jour _____
6e jour _____
7e jour _____

Avertissement : Quand les quantités ne sont pas précisées, vous pouvez manger l'aliment indiqué en quantité illimitée. Notez bien votre poids chaque jour.

Dans les journées où l'on ne consomme que des fruits, il n'y a pas d'horaires de repas à respecter.

	Matin	Midi	Soir
1ᵉʳ jour	raisins ou cerises ou fraises fraîches ou surgelées		2 verres de vin ou de champagne
2ᵉ jour	figues fraîches ou sèches	Dattes 175 g	pommes de terre, avec une salade Mazel ou L.T.O. et vodka ou un repas dessert
3ᵉ jour	mangues ou kakis ou kiwis ou pommes		ananas
4ᵉ jour	œufs et toast	Mono-repas (c'est-à-dire : composé d'une seule protéine ex. steak, huîtres ou crabe ou tourteau)	tout-protéines : ex. mixed grill ou crabe, steak et gâteau au fromage ou omelette aux foies de volailles et au lard
5ᵉ jour	kiwis ou pommes		pommes
6ᵉ jour	ananas		salade Mazel (recette p. 170) et vodka
7ᵉ jour	pastèque ou raisins ou ananas à satiété tout au long de la journée.		

Analysons ensemble cette
cinquième semaine

Centimètre par centimètre, kilo par kilo, la minceur devient pour vous une réalité. Vous avez déjà parcouru un long chemin en un mois !

Alors détendez-vous, vous n'avez plus beaucoup de kilos à perdre. Au cours de cette cinquième semaine, nous stabiliserons le cycle brûler-nourrir-laver en appliquant les trois étapes en même temps. Nous allons également élargir la gamme de vos menus.

Vous remarquerez que, cette semaine, il n'y a qu'un seul aliment comportant une limite de quantité. Pourquoi ? Parce que, je l'espère, vous savez désormais quand « assez, c'est assez » ; et vous avez fini par admettre que « trop » n'est jamais souhaitable, même si vous raffolez de tel ou tel aliment.

Bien sûr, vous continuez à vous peser chaque jour. Ainsi qu'à noter votre poids et à le dire à la même personne ? C'est d'autant plus important que votre régime devient plus libéral, moins strict. Si vous ne vous pesez pas, vous ne savez pas ce qui marche et ce qui ne marche pas.

Et, naturellement, vous faites les exercices qui vont de pair avec le régime alimentaire ; ils jouent un rôle essentiel car la minceur doit devenir une réalité, pour votre esprit en même temps que pour votre corps. Continuez à remplir votre feuille de fierté ; examinez-vous chaque jour dans votre miroir ; poursuivez le jeu des trois petites phrases. Vous allez gagner, je vous le promets !

106

Mes conseils pour
la cinquième semaine

Le vingt-neuvième jour, vin ou champagne mais pas les deux. Des fruits seulement dans la journée, en respectant les 2 ou 3 heures d'attente entre le moment où vous avez absorbé la boisson et celui ou vous mangerez des fruits. ˙
Essayez de trouver des figues fraîches pour le *trentième jour.* Sinon des figues sèches feront l'affaire ! Le soir, prenez des pommes de terre avec une salade Mazel et de la vodka, ou bien un repas base-dessert, c'est-à-dire n'importe quelle combinaison de vos trois desserts préférés. Les pommes de terre peuvent indifféremment être présentées sous forme de frites, de chips (on trouve des non-salés dans les boutiques diététiques), de purée ou même de crêpes de pommes de terre, sans œufs, cuites à la poêle dans du beurre. Vous le savez, il ne faut pas qu'elles comportent le moindre soupçon de protéines ou le plus petit grain de sel. Mais vous avez droit à deux cuillerées à soupe de beurre.
Le trente-deuxième jour, nous retrouvons ce vieux copain, le petit déjeuner. Un ou deux œufs à la coque, ou au plat, comme vous les aimez. Vous pouvez même beurrer votre tartine dans la mesure où il s'agit de beurre non salé.
N'oubliez pas la règle : quand vous avez mangé des protéines vous n'avez plus droit qu'à des protéines pour le reste de la journée. Si vous ne violez jamais cette règle, je vous affirme que vous ne redeviendrez jamais gros.
Le trente-cinquième jour, essayez de trouver des pastèques, sinon mangez du raisin, ou à défaut des framboises fraîches ou surgelées.

Exercice pour la
cinquième semaine :
les réponses positives

Maintenant vous avez compris tout le système des combinaisons alimentaires, vous savez l'appliquer et vous avez encore maigri ! Bravo ! Le seul problème, c'est que votre entourage a remarqué que vous suivez un régime, et les questions pleuvent...

« Tu fais toujours ce régime de dingue ? » « Quand vas-tu manger normalement ? » « N'est-ce pas fatigant ? « Ce Régime de Hollywood n'est-il pas nuisible à la santé ? » « Quand vas-tu arrêter ? » Et je suis sûre qu'on vous a même dit : « Tu deviens trop maigre ! » Donnez des réponses positives à ce genre de question : A la personne qui vous trouve trop maigre, rétorquez : « Chic, je suis vraiment mince alors ! ».

A celle qui met en avant votre santé, déclarez : « Penses-tu qu'il soit sain d'être gros ? »

Et aux impatients (ou aux jaloux) qui voudraient vous voir renoncer : « Pourquoi devrais-je arrêter quelque chose qui me fait tellement de bien ? »

Je vous fais confiance pour avoir la repartie qu'il faut au moment où il le faut. Vous êtes plein d'énergie, n'est-ce pas... Alors, foncez !

N'est-ce pas amusant d'apprendre à savourer chaque bouchée, et de maigrir en même temps ?

Vous pouvez vous limiter à la deuxième étape tant que vous avez du poids à perdre. Une fois que votre organisme a brûlé ses excédents, a été nourri et lavé, ces deux semaines de régime vont entraîner une perte de poids plus accentuée.

Après tout, nous sommes tous des êtres humains. Si vous avez envie d'arrêter le régime sans vraiment le vouloir, autrement dit, si vous avez besoin de prendre une semaine de repos, passez à la sixième semaine. Parfait ; vous n'avez pas besoin de perdre du poids à chaque seconde. Toute la vie ne doit pas être placée sous le signe du gain et de la perte. Vous pouvez arrêter votre régime, mais provisoirement, bien sûr, pour le reprendre ensuite.

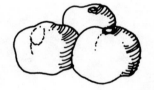

Troisième phase : la sixième semaine

Bon, j'ai compris ! Vous en avez assez des régimes et du régime. Vous voulez une semaine de liberté. Vous avez besoin d'un festin ou d'une pizza, ou tout simplement d'un repas « normal ». Vous pouvez arrêter le régime, vous donner la permission de manger. Mais, s'il vous plaît, mangez comme quelqu'un d'équilibré, une bouchée à la fois. Si un aliment est délicieux, cela n'implique pas que vous deviez en abuser. Si vous ne mangez pas tout aujourd'hui, il y en aura encore demain.

Maintenant, comment procéder pour que le repas le plus grossissant ne vous fasse pas grossir ? Et comment arrêter le régime le temps de souffler sans l'arrêter vraiment ?

Tout simplement, je le répète, en vous modérant, en n'ayant pas cet état d'esprit de « gros » qui vous oblige littéralement à dévorer. Pardonnez-moi d'être brutale, mais je dois vous dire que si vous vous conduisez comme un porc, vous deviendrez un porc ! Les porcs se gavent jusqu'à ce qu'ils ne puissent plus bouger. Vous, vous êtes un être humain, n'est-ce pas ?

Attention : Ne commencez pas la sixième semaine tant que vous n'avez pas terminé les cinq semaines des deux étapes du Régime de Hollywood.

Régime Hollywood
Sixième semaine

Votre poids le matin

1er jour _____
2e jour _____
3e jour _____
4e jour _____
5e jour _____
6e jour _____
7e jour _____

Avertissement : Quand les quantités ne sont pas précisées, vous pouvez manger l'aliment indiqué en quantité illimitée. Notez bien votre poids chaque jour.

Dans les journées où l'on ne consomme que des fruits, il n'y a pas d'horaires de repas à respecter.

	Matin	Midi	Soir
1er jour	pommes		pizza à votre goût
2e jour	ananas		fraises ou pommes
3e jour	pastèque ou raisin ou framboises fraîches ou surgelées à satiété tout au long de la journée.		
4e jour	kiwis, kakis ou poires		repas chinois, japonais ou du Moyen-Orient au restaurant, à la maison (tempura Mazel, par ex. recette p. 185)
5e jour	pastèque ou framboises fraîches ou surgelées		
6e jour	mangues ou pommes ou kakis		repas traditionnel « équilibré » (crudités), grillade, légumes avec beurre (fromage)
7e jour	ananas à satiété tout au long de la journée		popcorn (sans sel ni beurre ou 250 g de maïs, sans sel ni beurre)

Analysons ensemble
la sixième semaine

Ne vous alarmez pas si votre poids varie d'un jour à l'autre. Ce qui monte doit descendre. Au XVIIe siècle le philosophe Newton l'a constaté en regardant une pomme tomber d'un arbre ; c'est la loi de la gravité, et les petites enzymes vont vous prouver que cette loi existe bel et bien. Tous les aliments réputés grossissants qui ont été inclus dans ce régime ne font grossir que parce qu'ils sont difficiles à digérer. Jusqu'à maintenant les enzymes ont fait leur triple travail : brûler les excédents, nourrir et laver votre organisme. Conséquence : vous avez perdu du poids. Elles vous aideront à maintenir votre nouveau poids, quels que soient leurs adversaires.

Si vous suivez *exactement* le programme de cette semaine — et je souligne exactement —, si vous ne vous gavez pas, si vous mangez une bouchée à la fois, avec toujours la conscience du lendemain, alors vous pèserez le même poids à la fin de la semaine qu'au début.

Pour cette sixième semaine, nous allons en fait nous moquer de toutes les règles. Vous sentirez, je l'espère, que le sel est vraiment une agression, que le fromage n'est pas aussi délectable que vous le pensiez et que votre gratin de pommes de terre à la crème était bon, d'accord, mais ne changeait pas votre vie.

114

Mon avis sur cette
sixième semaine

Vous avez vu ? Cela a marché, n'est-ce pas ? Ces enzymes travaillent réellement ! Dans vos rêves les plus fous, pensiez-vous manger comme vous l'avez fait cette semaine — et sans même grossir de 500 grammes ?

A la fin de la sixième semaine, vous avez donc deux solutions pour continuer à perdre du poids : soit reprendre le régime à la deuxième semaine et suivre la deuxième étape pour maigrir le plus rapidement possible ; soit simplement répéter aussi longtemps que cela sera nécessaire les quatrième et cinquième semaines. Dans ce dernier cas, l'excédent de poids disparaîtra plus lentement, mais psychologiquement, il sera plus facile d'adopter cette deuxième solution.

Quant à la sixième semaine, suivez mon programme une fois toutes les six semaines environ pour ne pas regrossir, et cela jusqu'à ce que votre poids soit stabilisé. Ce n'est pas moi qui vous dirai quand, mais votre balance.

Arrivé à ce stade, voyez le programme du chapitre VI. Mes félicitations, vous êtes mince ! Vous avez prouvé une nouvelle fois que j'ai raison, et je suis fière de vous.

Au cas où vous auriez rompu totalement avec le régime pendant plus d'un mois, en vous gavant de nourriture sans tenir compte des combinaisons alimentaires, alors il vous faudra faire appel à la ressource extrême : tout recommencer à partir de la première semaine.

115

V

Mes « *petits trucs* » *et mes secrets*

Vous allez vous sentir différent

Peu de gens réalisent que la nourriture, c'est de l'énergie. Trois petites grappes de raisin, et vous êtes prêt à courir un 1 500 mètres. Votre organisme dépense sans arrêt de l'énergie et doit éliminer ses réserves. Le Régime de Hollywood vous enseigne à utiliser au mieux non seulement la quantité mais aussi la qualité de ces réserves. Maintenant que vous contrôlez votre alimentation, vous vous sentez tellement bien que vous n'aurez jamais envie de redevenir comme avant, « un gros ».

Au fait, comment vous sentez-vous, au juste avec mon régime ? En forme, plein d'énergie, l'esprit et le corps légers et je suis sûre que vous n'avez plus de somnolences, moins besoin de sommeil.

A la fin de la première semaine, vous avez remarqué un changement dans la couleur de votre peau. Elle a pris de l'éclat, vos yeux brillent, vos cheveux aussi. Les cernes disparaissent progressivement de votre visage. Comme me le disait un de mes clients, « Mes amis sont stupéfaits. Non seulement ils s'extasient sur ma minceur, mais aussi sur ma jeunesse ! Je parais dix ans de moins. » Remarque devenue classique. Mes clients sont toujours ravis de leur nouvelle allure. La plupart des autres régimes privent l'organisme des élements nutritifs, et cela se voit. Tel n'est pas le cas du Régime de Hollywood. Tout en perdant du poids, vous n'aurez pas cet air fatigué et hagard que l'on constate sur les gens « au régime ». Un régime qui ne tient pas compte des vrais besoins de votre corps.

Si vous sentez un goût de sel dans votre bouche, à l'occasion, ne vous désolez pas. Ce n'est que le sel ancien qui quitte votre organisme.

Comme vous traversez un processus de désintoxication, il peut arriver que vous vous sentiez un peu bizarre la première semaine. Cela dépendra de votre niveau d'intoxication.

Si votre alimentation était jusqu'alors riche en additifs chimiques, sucre et sel, vous êtes à la merci d'une légère migraine, rien de grave, cela ne durera pas.

Peut-être aussi — mais c'est rare — éprouverez-vous des moments de stress, surtout les jours où vous ne mangez que des fruits. Ne vous inquiétez pas. Vous êtes en train de rompre avec de vieilles habitudes et ça vous tracasse forcément.

L'un des symptômes de la faim est la sensation de fatigue. Si tel est le cas, mangez davantage. Si vous avez souvent envie d'aller à la selle, parfait. N'oubliez pas que les kilos vous quittent surtout par deux chemins : les intestins et la vessie. Plus vous passez de temps aux toilettes, mieux cela vaut. Les jours de fruits surtout, attendez-vous à beaucoup uriner.

Si les fruits vous donnaient précédemment des gaz, c'est parce que vous les combiniez avec d'autres aliments. Cela ne se produira plus quand vous serez désintoxiqué.

Voici des « petits trucs »
bien utiles

1/ Achetez plus que vous ne pensez pouvoir manger. Trois ananas, par exemple, alors que deux peuvent largement vous nourrir. Mais on ne sait jamais... Une petite faim supplémentaire au moment de vous mettre au lit... Il faut absolument que vous ayez sous la main de quoi la satisfaire. Si vous n'avez plus d'ananas (ou d'aliment du jour), vous éprouverez une sensation d'échec. Alors mieux vaut prévoir. La famille se régalera volontiers du surplus.

2/ Ne sortez jamais de chez vous sans emporter de quoi manger, dans le cadre de votre régime, bien sûr. Il est facile de glisser votre petite provision dans votre sac ou dans un fourre-tout, emballée dans un sachet en plastique, une boîte ou du papier aluminium.

3/ Ne partagez pas. Tout le monde voudra goûter à vos repas, surtout les jours de raisin. Refusez énergiquement. Votre générosité pourrait vous poser des problèmes : que se passera-t-il si vous êtes à court ?

4/ Traitez vos fruits avec imagination et considération. Amusez-vous à manger avec une fourchette et un couteau ceux qui s'y prêtent. Reportez-vous à la rubrique : « Je les ai achetés, qu'est-ce que j'en fais ? », dans le chapitre VI, vous trouverez quelques idées d'utilisation des fruits.

5/ Si un aliment hors régime vous tente, souvenez-vous que vous y aurez droit un jour, bientôt même. Pour le moment ne faites pas de fixation à ce sujet et dites-vous que le monde ne va pas s'écrouler demain et que vos aliments préférés ne vont pas disparaître de la planète.

Un jour, je me trouvais dans un bon restaurant de Los Angeles. Mon poids était en hausse et c'était un jour d'ananas. Le pain grillé et le beurre n'avaient jamais senti aussi bon. Je ne cessais de me répéter : « Cela ne va pas disparaître de la terre. Le restaurant ne va pas s'effondrer dans un incendie. Ce pain et ce beurre seront encore là demain. » Et ça a marché. Je ne succombai pas... pas même une miette. Le lendemain, mon poids avait baissé. Je suis retournée dans ce restaurant, et j'y ai mangé une impressionnante quantité de pain beurré — avec ma propre autorisation, avec plaisir, sans remords et surtout sans prendre un gramme.

6/ Si vous faites une entorse au régime, n'aggravez pas la situation en la prolongeant. N'oubliez pas que rien n'est jamais irréparable. Apprenez les systèmes de compensation du chapitre VI, et jouez-en.

7/ Si vous ne pouvez pas boire de café ou de thé sans sucre, essayez d'y mettre un peu de cannelle, ou un morceau du fruit du jour.

8/ Lisez attentivement toutes les étiquettes. N'oubliez pas que le sel, le sucre et les additifs chimiques se dissimulent dans les aliments les plus innocents.

9/ Parlez de votre régime. Dites ce que vous faites. Impossible de garder le secret de toute façon. Les pastèques et les ananas sont particulièrement difficiles à cacher. Si vous vous sentez faiblir, n'ayez pas honte de demander de l'aide. Confiez-vous à quelqu'un. Je le fais toujours.

Ce régime, vous ne pouvez le suivre seul. Vous avez besoin des autres. Appuyez-vous sur votre entourage.

10/ Souvenez-vous que c'est *votre* régime ; aussi gardez chez vous en permanence les aliments que vous aimez, pour la période d'entretien. C'est intentionnellement que je ne vous donne pas une liste d'aliments pour chaque repas. Bien que ce soit mon programme et ma méthode, ce régime vous appartient et il doit être fondé sur les aliments que vous aimez, pas sur mes propres préférences. Avec la combinaison consciente, vous composez vos repas à votre goût ; cette composition est totalement libre. Supposons par exemple que vous ayez envie de pizza un jour, parfait, régalez-vous, mais le lendemain il faudra manger des ananas. Je vous affirme que si vous suivez ces principes, rien ne vous fera grossir.

Les exercices physiques :
à vous de décider

Je n'ai rien contre les exercices physiques, mais je ne les impose pas, surtout pendant les trois premières semaines du Régime de Hollywood, car vous avez déjà beaucoup de changements dans votre vie au cours de cette période et si je vous disais : « Il faut faire des exercices physiques » et que vous n'en ayez pas envie, vous vous sentiriez culpabilisé.

Mais si la perspective d'efforts physiques ne vous décourage pas, alors, bravo ! Vous êtes formidable ! Je vous recommande les exercices d'oxygénation — la marche, la course, la natation — ou le yoga. A ce stade du régime (les trois premières semaines) le but de l'exercice est de vous faire prendre conscience de votre corps.

En fait, la quantité de calories que vous dépenserez n'a qu'une très faible importance. Mais la prise de conscience, elle, compte et beaucoup. C'est le plus grand profit que vous retirerez des exercices physiques, tout au moins à cette étape de l'amaigrissement. En aucun cas vous ne devez pratiquer de musculation avec des poids ; cela n'a rien à voir avec nos objectifs. La musculation rassemblerait, concentrerait toute votre graisse dans votre organisme et rendrait plus difficile le travail des enzymes. Je veux que vous fassiez tout ce qui peut favoriser ce travail, non le torpiller.

Les exercices non physiques :
ils sont indispensables

Personne n'a dit que maigrir serait une tâche facile. Agréable peut-être, mais pas facile. La graisse ne part pas sans se défendre. Elle se mettra en avant à chaque occasion. Elle a pris des années pour établir son territoire, et elle utilisera toutes les possibilités pour le maintenir. Mais, rappelez-vous, elle ne peut exister que si vous l'acceptez. Vous deviendrez mince en vous servant — et là j'emploie une expression imagée — de votre « voix de mince », une voix qui a toujours existé en vous mais que vous n'avez pas voulu entendre, faible prière qui devient maintenant un cri, une voix qui va surpasser la voix forte et tonnante de la graisse. Il faut la développer. C'est justement le but de mes exercices non physiques. Il faut les effectuer chaque semaine, exactement comme indiqué. Ils peuvent paraître idiots ou désuets, faites-les tout de même. Ils vont vous aider à donner vie à cette petite voix.

Des vedettes de Hollywood l'ont fait, des magnats de l'industrie l'ont fait. Je l'ai fait, comme des centaines de mes clients qui ne sont pas tous des superstars. A votre tour maintenant ! Les exercices, comme les règles d'alimentation, ont rendu minces des centaines de mes clients, et moi aussi, bien sûr.

Le Régime de Hollywood n'est pas uniquement un contrôle d'alimentation, mais aussi une attitude nouvelle à l'égard de soi-même. En perdant du poids, vous remarquerez peut-être que vos émotions sont plus fortes, vos sentiments plus vifs. Laissez-vous aller à vos émotions, à vos sentiments. Avec chaque kilo perdu, vous expulsez des émotions que vous avez longtemps réprimées et qui participaient autant à votre prise de poids que la nourriture. Vous devenez une personne mince en ressentant et en affrontant toutes ces émotions qui vous avaient rendu gros.

Pas de régime sans balance

La balance, c'est cette petite invention mécanique qui
— toutes proportions gardées — a plus d'effets sur nous
que la bombe atomique. Elle peut réellement embellir ou
détruire une journée ; les plus présomptueux, les plus puis-
sants, les plus assurés, les plus solides s'effondrent devant sa
puissance. La balance nous oblige à nous voir et à nous
sentir tels que nous sommes, et nous contraint à agir.
Chaque jour elle nous permet de faire le point. Vous verrez
que vous ne pourrez plus vous en passer, que vous vous
sentirez perdu sans elle. Cela m'est arrivé : j'avais mis en
pratique mon régime et ma méthode et réussi à atteindre
mon poids idéal : 46 kilos (je vous rappelle que je suis
petite). J'ai dû aller passer neuf jours à New York. Neuf
jours sans balance, loin de mes boutiques d'alimentation
préférées, neuf jours de cocktails, de dîners au restaurant,
chez des amis. J'étais angoissée, je me demandais si la combinaison consciente fonctionnerait, si elle supporterait des
écarts. Quel soulagement pour moi de découvrir à l'hôtel
qu'il y avait une balance dans ma chambre. Je pourrais
ainsi savoir chaque jour où j'en étais et éventuellement
réagir en conséquence... Chaque jour, je faisais un grand
repas — sans perdre les règles de vue, bien sûr — et le matin
je me pesais, constatant avec une joie sans bornes que la
combinaison consciente marchait. Plaisir des plaisirs ! Mon
poids ne bougeait pas : 46 kilos. Un soir je m'autorisai un
véritable festin, de la cuisine italienne, et je mélangeai tout :
huile, fromage et sel — un véritable désastre. J'avais essayé
de manger avec intelligence, mais j'étais certaine d'avoir
dépassé les limites. J'étais sûre d'avoir pris du poids. Le
lendemain matin, en me levant, je me sentais lourde, lourde.
En me regardant dans le miroir, mes hanches me semblè-
rent énormes. J'étais terrifiée. La baleine que j'avais été
réapparaissait. Je me hissai sur la balance et, respirant à

peine, je regardai l'aiguille. Deux chiffres me sautèrent aux yeux : 46. Je n'avais pas pris un gramme ! J'avais réussi. J'avais mangé comme un être intelligent, bouchée par bouchée, j'avais fait un repas normal et je n'avais pas pris 100 grammes ! Je n'avais plus à m'affoler désormais ; je pouvais prévoir davantage de repas du même genre. La joie et la sérénité m'envahirent et, quand je me regardai à nouveau dans la glace, comme mes hanches me parurent minces !

Quel sentiment de sécurité apporte la balance ! A partir de ce jour-là, je n'ai plus jamais voyagé sans en emporter une — une petite balance très légère qui se glisse facilement dans le fond de ma valise.

Votre balance est votre meilleure amie ; c'est un amant qui ne vous juge pas, le seul observateur vraiment objectif. Elle n'a pas de motifs secrets. Elle ne vous indique pas que vous avez été gentille ou méchante, elle vous dit si ce que vous faites, ce que vous mangez, marche ou pas. Et si elle vous dit que vous avez pris un peu de poids, à vous de jouer ; rien n'est perdu. Inutile de devenir hystérique et de vous frapper la tête contre les murs en vous lamentant sur votre échec. Quand l'aiguille de la balance grimpe, appliquez simplement les règles de la combinaison consciente et utilisez les « correctifs ». La pire des choses serait de ne plus vous peser après avoir constaté que vous avez grossi. N'oubliez pas que ce ne sont pas pas forcément les grands repas qui font prendre du poids, ni les imprudences ni les « moments de folie », mais surtout toutes les circonstances dont vous ne tenez pas compte (le contenu d'une cuillère que vous léchez, par exemple).

Chaque jour du régime, pesez-vous, admettez votre poids, inscrivez le chiffre et dites-le à la même personne. J'insiste bien sur le fait que vous devez admettre votre poids. Si vous le cachez d'une manière quelconque, le régime perdra de son efficacité. Je peux vous citer l'exemple de mon amie Jackie ; elle avait l'habitude de me dire son poids au téléphone en utilisant un code. Elle prenait un chiffre inférieur de cinq kilos à la réalité et quand elle me l'annonçait, elle ne donnait que le dernier chiffre. Elle pensait que son mari Henry n'avait pas la moindre idée de son poids. Puis elle a atteint un « plateau ». Plus rien ne marchait. Son poids ne bougeait plus. Bien entendu, je pensais que si elle admettait son poids, elle quitterait ce fameux plateau. Pourtant, rien ne pouvait la persuader, ni les arguments les plus convaincants, ni les menaces, rien.

Finalement, en désespoir de cause, je lui demandai de me passer son mari au téléphone, car j'avais une question à lui poser, pendant qu'elle restait à l'écoute. « Combien pensez-vous que pèse Jackie, Henry ? » Malgré le code, bien qu'elle s'habillât dans la salle de bains pour qu'il ne voie pas ses rondeurs, bref, malgré tous les mystères dont elle s'entourait, Henry devina le poids de Jackie à 500 grammes près.

A partir de ce jour Jackie, ayant constaté que son poids n'était pas un secret, et ayant accepté de le dire elle-même à haute voix, perdit rapidement un kilo et demi. Le plateau était psychique et non physique.

Ne tombez pas dans ces pièges :

Rien ne vous sera épargné pour saper votre moral. Les publicités vous assaillent dans les magazines, sur les murs, dans les rues, à la télévision. Même vos amis représentent un danger. Vous savez, ceux qui vous disent : « Tu es folle de suivre un régime pareil ! » — « Tu manges une glace au chocolat, et tu t'attends à perdre du poids ? » — « Oh, encore un régime-miracle... » — « Tu maigris trop » — « Tu n'as pas l'air en forme » — « Ça ne va pas marcher... » — « Ce n'est pas sain », affirment-ils tout en avalant des escalopes à la crème, des chips salés et en fumant cigarette sur cigarette.

Les exercices de réponses de la cinquième semaine devraient vous permettre de — passez-moi l'expression — leur clouer le bec ! N'escomptez pas trop d'encouragements. Quand le Régime de Hollywood commencera à produire son effet, vos amis gros et obèses éprouveront un sentiment de culpabilité. Quant aux minces, ils n'apprécieront pas que vous deveniez plus attirant, plus dynamique qu'eux, que vous soyez comme eux et peut-être mieux qu'eux.

« Oh ! vous pouvez bien en prendre une petite bouchée », insisteront-ils. Non, vous ne pouvez pas. Une bouchée fait tout rater. Je me méfie toujours quand, ayant demandé à un client s'il s'accrochait au régime, il me répond : « En quelque sorte ». Il n'y a pas de « en quelque sorte ». Ce régime on le fait ou on ne le fait pas !

Le plus grand péril :
le plateau

Les plateaux sont ces moments imprévisibles et inévitable où la chute de poids s'arrête. Jour après jour, on monte sur la balance, et peu importent les efforts fournis, on n'obtient pas de récompense : l'aiguille ne varie pas.

Comment faisait-on dans une telle situation, auparavant ? On mangeait, bien sûr. Avec une telle frustration, on y était poussé. Si vous ne pouvez pas maigrir, vous pouvez toujours grossir, n'est-ce pas ? Au moins, c'est consolant...

Si vous comprenez un peu la signification exacte des plateaux, vous serez capable de ne pas les subir.

Sur un plan purement physique, la graisse a dû quitter votre organisme. Elle a été amollie, brûlée, avant d'être complètement éliminée. Cela ne se produit pas d'un seul coup. D'abord, la graisse quitte les cellules. Elle emprunte ensuite le bon canal d'évacuation — les reins, puis le grand intestin — avant de quitter votre organisme.

Ce voyage ne se fait pas sans obstacles. La cellule où se trouvait la graisse ne disparaît pas. Elle se remplit d'eau qui occupe la place vide. Peu à peu, les cellules se mettent à rétrécir — et vous aussi, en même temps.

Si vous faites l'exercice du miroir, vous vous apercevrez qu'alors que votre balance reste fixe votre corps se transforme. Cela parce que l'eau quitte lentement vos cellules. Elle sera totalement expulsée, mais on ne sait jamais quand. C'est la phase du plateau. Elle peut survenir à n'importe quel moment du régime.

Joe rencontra un plateau le troisième jour de la quatrième semaine, moment où mes clients fondent généralement le plus vite. Le plateau de Janet est apparu juste avant son grand voyage en Europe, alors qu'elle souhaitait être aussi mince que possible. Lors de ma dernière baisse de poids, je restai pendant treize jours rivée à 49 kilos, malgré des tentatives désespérées. Une fois que je me suis prouvée à moi-même que je ne voulais pas céder, et que je ne succomberais pas aux appâts des noix de cajou, des raisins secs et autres délices, je recommençai à maigrir. La semaine suivante, j'avais perdu 4 kilos.

Les plateaux ne sont pas seulement physiques, mais aussi psychiques. En fait, ils sont le plus souvent psychiques. Souvenez-vous de la pauvre Jackie, dont le poids ne voulait plus changer tant qu'elle ne l'avait pas admis.

D'accord, les plateaux ont quelque chose de décourageant. Mais essayez de les considérer sous un angle positif.

Ils vous donnent le temps d'affronter votre nouveau corps et d'apprécier le changement de votre silhouette. Si vous avez perdu six kilos, vous voyez la vie sous un tout autre angle.

Vous n'avez plus les six kilos qui vous servaient auparavant d'armure. Vous êtes vulnérable, et il vous faut assimiler totalement votre nouvel être ; saisissez l'occasion que vous offrent les plateaux. En fait, vous devenez un nouvel être chaque fois que vous perdez un kilo.

Nous sommes si souvent obsédés par notre objectif final, qui peut être la perte de cinq ou de quinze kilos, que nous n'avons plus aucune notion du moment présent.

Ce phénomène illustre la coupure qui se produit entre le corps et l'esprit du gros qui l'est moins grâce au régime, et sa mentalité qui, elle, est restée celle d'un gros.

C'est la cause principale des plateaux. C'est aussi le moment de réfléchir et de mettre en accord son corps et son esprit. Ne vous angoissez pas, vivez l'instant présent, uniquement l'instant présent.

Et puis, réfléchissez, rappelez-vous toutes les frustrations, toute l'amertume que vous avez éprouvées dans le passé, que vous éprouvez encore quand vous montez sur la balance et que l'aiguille n'annonce pas une bonne nouvelle.

Ce sont ces sentiments que vous devez rejeter, expulser de vous-même car, au fond de vous-même, maintenant, vous le savez, l'aiguille va bouger. Oui, vous savez que le régime marche puisque vous avez déjà perdu des kilos.

Alors considérez votre cas en face et dites : « Je suis décidé. Je le ferai quoi qu'il en coûte. Je veux être mince, et c'est plus important que tout le reste, même que la nourriture. » Dès que vous en arrivez là, vous ne renoncez en fait qu'à une seule chose : la graisse.

Vous avez cette volonté, vous ne l'ignorez pas. Vous l'avez prouvé en arrivant jusqu'ici. Vous avez fait un bon bout de chemin, ne vous arrêtez pas en route.

Luttez contre vos mauvaises habitudes et gagnez !

1/ Attention aux grignotages ! Une bouchée de plus affecte tout le processus digestif. Et n'allez pas vous lécher les doigts après avoir beurré les sandwiches de votre fils. Chaque bouchée compte.

2/ En allant voir un ami à l'hôpital, ou une jeune maman, ne lui offrez pas une boîte de vos bonbons préférés. Vous risqueriez de ne pas résister à l'envie d'en croquer un, puis deux, puis...

3/ Ne cuisinez pas pour votre famille vos plats préférés, si vous ne vous êtes pas donné la permission de manger. Ne vous placez pas en situation d'échec potentiel.

4/ Ayez toujours avec vous votre propre nourriture. Si vous aimez du popcorn au cinéma, quand vous allez voir un film munissez-vous de l'aliment que vous devez consommer ce jour-là. Ou allez au cinéma un soir de popcorn.

Si vous aimez manger en téléphonant, si vous ne pouvez vous endormir l'estomac vide, ou si vous avez l'habitude de vous réveiller dans la nuit pour faire une expédition dans le réfrigérateur, ayez toujours le bon aliment à portée de la main.

5/ Si vous ne pouvez résister aux restes d'un repas, laissez quelqu'un d'autre débarrasser la table et vider les assiettes.

6/ Prenez conscience des repas inconscients. Tout en se plaignant devant moi de ne pas perdre de poids, la femme d'un comédien célèbre jurait qu'elle ne buvait plus du tout de soda. Tout en parlant elle se dirigea vers le réfrigérateur, en sortit une boisson chocolatée, et se mit à la boire sans y prendre garde. Son cas n'a rien d'exceptionnel. Observez-vous soigneusement vous-même.

7/ Si les buffets vous paraissent irrésistibles, évitez-les.

8/ Si vous espérez être parfait et ne jamais regrossir,

vous vous placez en position d'échec. Le grand secret consiste à se donner la permission d'arrêter — mais pour reprendre ensuite les combinaisons qui vous réussissent.

9/ Mâchez et avalez lentement. Découvrez la saveur des aliments. Voyez combien de temps vous pouvez faire durer le plaisir. Vous n'avez pas à engloutir, ni à savoir quelle quantité on peut manger en un minimum de temps.

Les excuses que j'ai bien
souvent entendues

Chez le mangeur, un combat permanent se déroule entre le mince et le gros. Quand le second prend le dessus, et que le cœur l'emporte sur la raison, on accumule les excuses en espérant se justifier. N'agissez pas ainsi. C'est une perte d'énergie. Vous êtes un être humain doué d'intelligence, utilisez votre intelligence. Oh ! vos excuses, je les connais bien !

Votre patron vous a traité de tous les noms. Vous avez été licencié. Vous avez été promu. Vous allez subir une opération. Vous avez subi une opération. Votre mère vous a injurié. Votre mère vous a fait un gâteau. Votre petit ami n'a pas téléphoné. Votre petit ami a téléphoné. Vous allez partir en congé. Vous vous ennuyez. Vous êtes fatigué. Vous êtes nerveux, bouleversé, malheureux, etc...

Fabriquer des excuses, voilà sans doute l'exercice le plus facile. Parce que c'est une fuite. Apprenez à considérer tous les tracas de la vie quotidienne sous un angle positif. Vous traversez une crise sentimentale et vous sombrez dans le désespoir ? Eh bien ! ce fut le cas de mon copain Bill. Son grand chagrin d'amour lui a fait perdre dix kilos ; il a aussi arrêté de fumer, le tout en quelques semaines. Et il est tombé amoureux d'une autre fille.

Des parents de province arrivent ? Il faut absolument les inviter à dîner. Aïe aïe aïe aïe, comment concilier cela avec le régime ? Prenez exemple sur Rita V., qui a offert à ses amis un somptueux repas. Tous se sont régalés. Elle aussi... en dégustant de délicieuses figues mûres à point, gorgées de soleil. Personne ne songea à la critiquer. Elle fut au contraire doublement félicitée, pour ses talents de maîtresse de maison et pour sa nouvelle minceur.

Quelle imagination, quelle ingéniosité sont déployées pour trouver des excuses ! « J'ai fait du veau à la crème pour mon mari, alors... » « Les ananas n'étaient pas assez mûrs. » « L'anniversaire de mon fils, vous comprenez... » « J'ai mis du sel sans le faire exprès... » Karen a inventé la meilleure que je connaisse. Elle avait maigri de 6 kilos et flottait dans ses vêtements. « Tout le monde était content, dit-elle. Je n'avais jamais été aussi mince. Alors, j'ai mangé. »

Si vous avez cédé à la tentation :

Il faut un certain temps pour que disparaisse la mentalité de gros et son corollaire, une certaine façon de vous jeter sur la nourriture dans des moments de folie. Mais nul n'est parfait. Si vous essayez d'être parfait, de ne jamais faire d'écart, vous vous préparez à subir des échecs. Or, le Régime de Hollywood va vous apporter cette possibilité : avoir le droit de manger sans remords.

Les gens minces ont le droit de manger avec joie. Vous aussi. C'est le remords qui travaille contre vous, le remords qui est une émotion du cœur, alors que le plaisir est une émotion de l'intelligence. Le « gros » est gorgé de remords, de regrets, de « si seulement » et de « demain ». L'obésité vient du cœur, la minceur de la tête.

Personne n'attend de vous la perfection dans votre façon de manger. Sauf vous. Ne vous sentez pas coupable. Si vous arrêtez le régime, ne vous accablez pas de honte. Braquez les projecteurs sur vos qualités positives, mettez l'accent sur les moments où vous avez persévéré, où vous avez résisté à la tentation. Vous avez commis une erreur ? Et alors ! Pensez à toutes les fois où vous ne vous êtes pas trompé.

Supposons donc que vous ayez triché avec votre régime, que vous ayez transgressé une règle... Vais-je vous gronder, vous morigéner ? Pas du tout. Je vais vous dire : *ne continuez pas le régime*. Stop ! On arrête tout et on fait appel aux correctifs. Je vous explique de quoi il s'agit dans le chapitre qui suit celui-ci. Respectez les indications données avec précision, en tenant compte de l'erreur commise et du poids supplémentaire acquis. Quand vous aurez terminé votre programme de correctifs, reprenez le régime à l'endroit où vous l'avez arrêté. Evidemment, il est plus rapide, plus facile et bien plus agréable de ne pas se tromper. Mais tout être humain peut se tromper, n'est-ce pas ? Ne vous sentez pas coupable. Il n'est jamais trop tard si vous avez cédé à la tentation. Ce n'est pas la première fois que vous avez succombé et ce ne sera pas la dernière. Et il est rassurant de savoir que rien n'est irrémédiable, que tout écart peut être rattrapé. C'est l'un des miracles de ce régime.

VI

Vous avez atteint le poids idéal : Comment le conserver

L'une des choses qui font que l'on reste mince, c'est la joie de monter sur la balance et de dire honnêtement : « Je n'ai plus à perdre un seul kilo. » Aussi longtemps que vous avez eu du poids à perdre, que ce soient 2 ou 15 kilos, le monde a été peuplé de plats que vous ne pouviez pas manger, parce qu'il fallait encore maigrir et qu'ils risquaient de vous faire grossir.

Lorsque vous avez atteint votre bon poids, vous pouvez choisir ce que vous voulez, manger ce que vous souhaitez. Vous n'avez plus rien à vous refuser. C'en est fini du : « Je n'ai pas droit à ça ; ça fait grossir, et je dois perdre deux kilos... ou 200 grammes. » Vous n'avez plus rien à perdre, donc vous pouvez tout désirer. Et vous allez constater la plupart des choses que vous vouliez, vous ne les vouliez que parce que vous n'y aviez pas droit. Comme les enfants, vous savez, qui ne sont attirés que par ce qui leur est défendu. Quand vous aurez atteint votre poids idéal, vous serez débarrassé de ce genre d'envie car l'important pour vous va être de maintenir le poids obtenu et la liberté qui découle de ce nouvel état. Maintenant vous savez vous contrôler : vous êtes libre.

Avez-vous remarqué que, quand vous contrôlez votre façon de manger, le reste suit le mouvement ?

Avez-vous remarqué que vous n'êtes plus obsédé par la nourriture, que vous êtes dynamique et capable de vous concentrer sur tout ce qui le mérite, qu'il s'agisse de votre travail ou de votre sport favori ? Plus jamais vous ne serez votre pire ennemi. Plus jamais on ne murmurera derrière votre dos : « Il est gros ! » ou : « Elle est grosse ! » Maintenant vous pouvez tout vous permettre. Vous avez l'air épanoui, vous vous sentez en très grande forme, et vous mangez même de la glace à la Chantilly. Vous avez vaincu l'anxiété et la peur causées par l'obésité ; vous avez vaincu les névroses, la haine de soi, et celle des autres. Maintenant, vous allez vous coucher le soir en vous sentant bien avec vous-même. Maintenant, vous gardez les yeux ouverts en passant devant un miroir. Maintenant vous faites l'amour toutes lumières allumées. Maintenant vous êtes capable de commencer à vivre vraiment. Je sais quelle est la grande question que vous vous posez : « Que vais-je pouvoir manger ? » Je vous répondrai en commençant par vous parler de mon propre cas. Je pèse 46 kilos. J'aime manger. Je vis pour manger. Je l'ai toujours fait. Quand de la nourriture se trouve dans ma bouche, mon cœur chante et mon âme s'épanouit. Mais il y a au moins une chose que j'en suis venue à aimer encore plus que la nourriture : acheter des vêtements en taille 36.

Je mange toujours d'une manière instinctive et irréfléchie. J'avale toujours une triple portion de gratin de pommes de terre sans m'étouffer, trois tranches de rôti de bœuf sans sourciller, un gros éclair au chocolat sans le moindre remords. Quand j'ai des soucis, des chagrins, des contrariétés, je mange. La nuit, je fais un raid dans le réfrigérateur. Mais, très vite, je pense au plaisir d'avoir des hanches parfaitement minces et je triomphe de mes caprices impulsifs. Pour maintenir le poids que vous avez réussi à obtenir, vous allez apprendre à manger sans règles strictes. Ce n'est plus un régime mais une façon de vivre. Il vous faut essayer, essayer sans avoir peur, tous les aliments. Que peut-il vous arriver, en mettant les choses au pire ? Prendre 500 grammes ou un kilo ? C'est une contrepartie nécessaire à votre apprentissage, le seul moyen de savoir ce qui fonctionne et ce qui ne fonctionne pas dans votre cas particulier, quels sont les aliments que vous digérez plus ou moins bien. Ainsi vous établirez un mode de vie qui vous convienne, et pour toujours. Si un aliment vous fait grossir, vous saurez le rendre moins grossissant en combattant ou en supprimant ses effets négatifs, c'est-à-dire ces kilos supplémentaires indiqués par votre balance. Et vous n'allez pas vous priver des aliments qui ne vous réussissent pas, vous allez les faire travailler pour vous. C'est cela la Combinaison consciente, la clé du Régime de Hollywood.

Les correctifs

Vous connaissez la place importante que votre balance tient désormais dans votre vie. Souvenez-vous qu'elle ne vous récompense ni ne vous punit ; elle vous dit simplement combien vous pesez. Même lorsque vous avez atteint votre poids idéal, il est essentiel de continuer à vous peser chaque jour. La balance est le seul instrument indispensable pour conserver une minceur éternelle.

Si un aliment ne vous réussit pas, vous allez prendre du poids. Certains jours vous allez grossir, et d'autres maigrir. Ne vous paniquez pas, et ne ressassez pas des idées pessimistes du genre : « Mon Dieu, je suis maudit, je suis condamné à être gros... »

Une prise de poids veut dire que vous n'avez pas digéré, pas encore éliminé ce que vous avez mangé la veille. Pourquoi ? Pour des raisons diverses : peut-être le sel, ou une combinaison alimentaire fâcheuse ou même votre moral qui est en baisse. Cela arrive à tout le monde. Mais rassurez-vous. Pour chaque aliment difficile à digérer, il y a un correctif, c'est-à-dire quelque chose qui aidera à la digestion.

Ce sont les enzymes des fruits qui ont provoqué la chute de poids au cours des cinq dernières semaines de régime. Ces mêmes enzymes vont vous aider à maintenir le poids atteint.

Chaque fois que votre balance dénoncera une prise de poids, mangez le correctif adéquat.

Après avoir mangé des aliments gras ou contenant de la crème ou du fromage :
Par exemple frites, porc, épinards à la crème, quiche, couscous, paëlla, côtes de veau à la normande, escalopes gratinées au fromage, parfaits et autres desserts glacés à la crème.

Brûlez-les avec :
De l'ananas.

Après avoir mangé des protéines :
Bœuf, dinde, poulet, veau.

Digérez-les avec :
Des ananas et des pommes.

Après avoir mangé des sucres :
Bonbons, gâteaux, entremets.

Nourrissez-vous avec :
Du raisin ou de l'ananas ou des framboises surgelées.

Après avoir mangé des aliments très salés :
Poissons salés (roll-mops, anchois, hareng saur, saumon fumé, haddock).

Lavez-les avec :
Du raisin ou des groseilles ou des framboises surgelées.

Après une suralimentation en maxi-carbonés :
Pain, pommes de terre, crêpes.

Nettoyez votre organisme avec :
Des pruneaux, des fraises ou des raisins secs (250 g).

Analysez bien ce que vous avez mangé avant de prendre les correctifs. Par exemple, si vous avez mangé des pommes de terre, demandez-vous si ce n'est pas le beurre dont vous les avez accompagnées qui vous a fait grossir.

La quantité de correctifs à prendre sera déterminée par votre meilleure amie, la balance. Vous en consommerez jusqu'à ce que vous ayez retrouvé votre poids idéal. Rassurez-vous, cela va très vite. Une journée suffit dans la plupart des cas.

Lorsque vous êtes dans une période de correctifs, ne mangez pas aux heures traditionnelles, petit-déjeuner, déjeuner, dîner.

Pour simplifier les choses, j'ai divisé les journées en trois parties, comme je l'ai fait pour le régime. Vous pouvez modifier ces trois « tranches » à votre convenance, jour après jour si cela vous plaît, aussi longtemps que vous maintiendrez un intervalle de deux ou trois heures entre deux consommations d'aliments. Personnellement, je divise ma journée de la façon suivante : du lever jusqu'à 13 heures ; de 15 à 17 heures ; de 19 heures au coucher. Déterminez votre propre organisation en fonction de votre mode de vie. En vous servant des correctifs, vous pourrez les appliquer à un tiers, à deux tiers ou à la journée entière.

C'est aussi l'excédent de poids indiqué par la balance qui va vous dire combien de fois il faudra prendre de correctifs. Vous ne pouvez choisir : la balance s'en charge pour vous.

Si votre poids n'a pas bougé en dépit de ce que vous avez

mangé, vous n'avez rien d'autre à faire qu'à pousser un soupir de soulagement. Vous avez dû vous conduire en être humain, non en obèse. Les personnes minces ne grossissent pas chaque fois qu'elles mangent, car elles savent quand « assez c'est assez ». Vous en êtes capable, vous aussi, et vous l'avez déjà prouvé. Mais si, malgré des efforts sérieux, vous avez commis une petite folie que votre balance indique une prise de poids de :

100 à 350 grammes : utilisez des correctifs pendant le premier tiers de la journée.

350 à 800 grammes : utilisez des correctifs pendant les deux tiers de la journée.

Plus de 800 grammes : utilisez des correctifs pendant toute la journée. J'insiste : *toute la journée.*

Suivez ce programme jusqu'à ce que vous ayez perdu le poids excédentaire. En totalité. Ne soyez pas étonné si cela prend plus d'une journée. Nous payons souvent le prix fort pour nos faiblesses.

Les aliments de récupération

Si vous n'avez pas la chance d'appartenir à la catégorie de ceux dont le poids est stabilisé une fois pour toutes et qui peuvent manger n'importe quoi et en n'importe quelle quantité sans prendre un gramme, certains types de repas vous feront reprendre du poids. Vous avez, dans ce cas, la ressource des « aliments de récupération ».

Votre balance vous dira si vous devez utiliser des aliments de récupération. Peut-être les simples correctifs indiqués précédemment suffiront-ils. Ces « récupérations spéciales » doivent être suivies pendant un, deux ou trois jours. Mais leur durée ne doit pas dépasser ces trois jours.

Après : un gros repas riche en graisses, un réveillon, un grand dîner avec toutes sortes de plats.

1er jour : ananas puis pommes - 2e jour : pommes puis ananas - 3e jour : pastèque ou raisin ou framboises fraîches ou surgelées.

Après : un repas très salé : saumon fumé, par exemple ou haddock, ou charcuteries de pays.

1er jour : raisin ou framboises fraîches ou surgelées - 2e jour : ananas et trois bananes - 3e jour : raisin ou framboises fraîches ou surgelées.

La Combinaison consciente implique non seulement que l'on sache ce qui va et ce qui ne va pas ensemble, mais aussi ce qui est absolument incompatible et comment contrecarrer les effets néfastes d'une mauvaise combinaison.

Mais souvenez-vous aussi que je n'ai pas promis de miracle. Pour maintenir votre poids, il est préférable de mettre au point votre programme alimentaire pour toute une semaine (j'y reviendrai en détail tout à l'heure.)

Votre régime alimentaire doit comporter 50 % de carbonés, 30 % de graisses et 20 % de protéines. Et n'oubliez pas que plus vous mangez de fruits, moins vous faites de mauvaises combinaisons, plus de chances vous avez de maigrir ou de ne pas regrossir.

Les combinaisons quotidiennes
pour maintenir votre poids idéal

Je vais préciser les types de combinaisons quotidiennes que vous pouvez suivre pour maintenir votre poids. Je les ai regroupés dans l'ordre de leur efficacité, le moins « grossissant » en premier, et le plus en dernier.

Voici d'abord les symboles que j'utilise :

F = fruits
C = carbonés, ou hydrates de carbone

P = protéine
TF = Tout-fruit
TC = Tout-carboné
TP = Tout-protéine.

(Voir au troisième chapitre pour la définition de chaque groupe alimentaire et la liste des aliments en faisant partie.)

MR = Mono-Repas : une seule protéine, ou un seul carboné, ou un seul fruit.

TF = Tout-Fruit : mélange de fruits avec du vin, du champagne ou du cognac.

TC = Tout-carboné : combinaison de trois carbonés en un même repas avec un maximum de deux maxi-carbonés.

TP = Tout-protéine : combinaison de trois protéines, sauf les noix.

MC = Mauvaise Combinaison :

1 - un carboné et une protéine. Mangez le carboné d'abord ;

2 - un plat unique. Un carboné et une protéine réunis en un seul plat : quiche, pizza, spaghetti aux boulettes de viande, sandwiches, etc.

RT = un Repas traditionnel, comprenant des combinaisons de carbonés et de protéines.

TB = Tout-boisson : boire au lieu de manger.

TD = Tout-dessert : deux portions de dessert à midi, trois le soir.

En période d'entretien, ne pensez pas que chaque repas doive être un Mono-Repas. Vous en seriez vite dégoûté ! Ainsi en fonction de votre emploi du temps de la semaine — invitations, sorties au restaurant, repas de fête — vous pouvez ajouter n'importe quel carboné, fruits ou protéines, à des repas complets.

Dans les lignes qui suivent, la première lettre représente l'aliment du matin, la deuxième celui du midi et la troisième celui du soir. Par exemple, FCP veut dire des fruits le matin, des carbonés le midi et des protéines le soir.

COMMENT CONSERVER LE POIDS IDÉAL

Pour chaque combinaison, j'ai indiqué plusieurs exemples pour matérialiser les possibilités. Mais servez-vous de votre imagination. Utilisez vos plats favoris et n'oubliez pas que n'importe quel Mono-Repas peut être transformé en un repas complet.

Voici la liste des combinaisons quotidiennes pour l'entretien :

F F F : Ananas/fraises - ananas/pommes - pruneaux/fraises/raisins secs - framboises fraîches ou surgelées.

F F C : fraises/salade Mazel - pruneaux/raisins secs/pommes de terre cuites - ananas/pâtes et salade.

F C C : ananas/salade/légumes sautés - ananas/légumes/pâtes.

F C P : C'est ainsi que, en tant qu'adepte du Régime de Hollywood, vous devez manger le plus souvent. C'est le type de programme du jour qu'il vous faut suivre le plus souvent possible. ananas/salade/steak - fraises/légumes cuits à la vapeur/côtelettes d'agneau - pruneaux/purée de légumes/cocktail de crevettes ou de homard (TP).

F F P : pommes/noix de Cajou - ananas/fraises/steak et homard (ou tourteau ou crabe).

F P P : ananas/hamburger/poulet.

P P P : œufs/poulet - steak/omelette au lard/poisson (P TP P).

F F MC : fraises/hamburger avec sauces - ananas/papaye (ou framboises fraîches ou surgelées)/steak et salade.

141

F F RT : fraises/hamburger avec sauce, frites et, si vous aimez ça, coca-cola - ananas/kiwi ou pommes/steak, salade, légumes et vin.

F MC P : ananas/sandwich à la viande de bœuf/poulet - fraises/omelette aux épinards/fruits de mer.

F RT P : ananas/sandwich à la viande de bœuf avec salade de pommes de terre et glace/poulet ; fraises/omelette aux épinards et aux champignons, toast/fruits de mer.

MC PP : œufs et toasts/poisson/steak ; bretzels et fromage à la crème/omelette nature/veau.

RT P P : bacon, œufs et toast, café au lait avec sucre/poisson/steak ; truite ou saumon, bretzels ou pain, et fromage à la crème/omelette nature/veau.

Ces exemples sont ceux où des aliments se combinent bien ensemble. N'oubliez pas que chaque Mono-Repas peut être transformé en un repas complet, en fonction de ce que vous dit votre balance. Si votre poids est stable, n'ayez pas peur des essais. Voyez par vous-même ce que vous êtes capable de faire.

Les moyens pour entretenir son poids : respecter les règles

Les règles fixes

1 - Quand vous avez abandonné les fruits dans le courant de la journée, n'en reprenez plus avant le lendemain.

2 - Rien ne doit suivre des protéines si ce n'est un supplément de protéines. Dès qu'une goutte de protéine est entrée dans votre bouche, que ce soit un peu de fromage, de la crème avec le café, ou des lardons dans la salade, vous n'avez plus droit qu'aux protéines. Ainsi, les jours qui commencent avec des Mauvaises Combinaisons ou des Repas traditionnels, se poursuivent toujours avec des protéines. Si vous suivez cette règle, vous ne deviendrez jamais gros.

3 - La pastèque, l'ananas et le raisin sont les fruits les plus valables pour toute une journée. Une fois que vous avez commencé à en manger, il faut continuer avec eux toute la journée.

Les actions enzymatiques de ces fruits sont très spécifiques, et le temps qu'il faut aux enzymes pour agir est variable. Certains jours de pastèque, par exemple, vous allez uriner immédiatement. D'autres jours, vous n'urinerez qu'après plusieurs heures. Si vous ajoutez d'autres aliments à ces fruits, vous prendrez probablement du poids.

Les règles souples

Vous pouvez les suivre strictement, mais aussi les modifier en fonction d'essais que vous ferez et des résultats qu'ils entraîneront.

1 - Un fruit sec ne doit jamais être mangé avant ou après un repas (y compris le petit déjeuner du lendemain) contenant des protéines animales. Il se digère si rapidement qu'il pourra rencontrer les restes non éliminés des protéines dans le gros intestin et provoquer des gaz.

2 - Les protéines des fruits à noyau, y compris les avocats, ne peuvent que terminer des jours tout-fruits. Ils ne se combinent pas bien avec d'autres protéines, que ce soit au même repas ou durant la même journée, sans tenir compte de l'ordre selon lequel ils ont été avalés. L'avocat ne se combine avec rien d'autre que lui-même et un petit jus de citron.

3 - Il ne faut jamais manger de Maxi-carbonés pendant le repas qui précède ou qui suit une protéine. Par exemple : pas de pâtes à midi si vous prenez un steak le soir ; pas de steak à midi s'il y a des beignets le soir.

3 - Quand vous savez que plus tard dans la journée vous aurez un Repas traditionnel ou une Fausse Combinaison, réservez-vous pour ces occasions gourmandes en vous contentant auparavant d'un repas de fruits. Un correctif peut également jouer un rôle préventif.

5 - Dans les repas complets, bien que ce ne soit pas une obligation, il est bon de rester dans la même famille alimentaire : poisson avec poisson, œuf avec poulet. Souvenez-vous que votre énergie vient des aliments que vous mangez et que des aliments différents donnent des énergies différentes. En voyant quelqu'un manger à un même repas un steak et du crabe, je dis à mes amis : « Son organisme ne saura pas s'il doit courir ou nager. »

6 - Contentez-vous d'un repas complet par jour. La bouche d'un mangeur est comme un piano bien accordé. Chaque petite bouchée produit une note différente, et nous ne sommes heureux que lorsque toutes ces notes sont en harmonie.

7 - Les fruits neutres comme les abricots, les nectarines, les pêches, les prunes, peuvent être mangés n'importe quand, lorsque vous n'avez pas besoin de correctif.

8 - Vous devez savoir si vous avez tendance à gonfler ou pas. Et vous avez appris les moyens de lutter contre cela. Si vous êtes comme moi très sensible au sel, vous l'éviterez sans défaillance. Sinon contentez-vous de ne pas utiliser délibérément de sel ; n'en ajoutez jamais à la cuisson ou à table. Mais il est nécessaire de suivre deux jours de régime ananas ou pastèque après en avoir abusé. Votre balance sera votre guide.

9 - L'ananas est ce qui ressemble le plus à une panacée, à mon sens. Si vous avez un doute sur le choix du correctif, prenez l'ananas.

10 - Ne mangez pas de pastèque ou de raisin après un repas trop gras ou contenant du fromage. Vous gonfleriez. Prenez de l'ananas.

11 - Préparez pour vos salades des sauces composées d'huile et de vinaigre, ou de crème légère, d'ail, de vinaigre, avec des fines herbes. La crème légère est autorisée au cours de la période d'entretien, mais est à proscrire pendant la période d'amaigrissement. La crème qui vous conviendra le mieux est celle que l'on appelle « fleurette ».

12 - Mangez peu de fromage. Utilisez-le avec prudence. C'est l'aliment le plus difficile à digérer, et il influe sur tous ceux que vous consommez avec lui. N'en consommez qu'au dernier repas de la journée, et même là, le moins possible.

13 - Un soir de protéines, vous pouvez, dans un plat composé de protéines et d'autres aliments, ne manger que des protéines, sans bouleverser le processus digestif.

Mais le contraire est impossible — c'est-à-dire manger les carbonés et laisser les protéines. Les carbonés ne rendront pas les protéines indigestes, mais les protéines rendront les carbonés indigestes. Prenez le cas d'un pot-au-feu avec viande et légumes ; pour un repas de protéines, mangez la viande et laissez les légumes. Leur simple présence pendant la cuisson ne va pas affecter la digestion des protéines.

Par contre, pour un repas de carbonés, il ne faut pas manger les légumes. Les protéines ont pénétré jusqu'au cœur des innocentes petites carottes et des savoureux navets et les ont rendus indigestes. Si vous mangez les légumes, ils seront pris au piège dans l'estomac pendant que les protéines seront digérées.

14 - Pour les boissons, souvenez-vous de ce qui va ensemble. Le champagne, le vin et le cognac avec les fruits. Tous les autres, y compris la bière, avec les carbonés. Rien avec les protéines. Là encore il faut tester ce qui marche ou pas pour vous.

N'ayez pas peur de toutes ces règles. Elles sont faciles à comprendre, et plus faciles encore à mettre en pratique. Elles deviendront rapidement une habitude.

Vous avez maintenant entre vos mains les clés de la minceur. Utilisez-les.

Les aliments et les mélanges
les plus dangereux
pour l'entretien

1 - Le sucre et le sel sont certainement le pire de tout.

2 - La viande et les pommes de terre mangées ensemble, car toutes deux sont difficiles à digérer.

3 - Les boissons minéralisées (eaux minérales et sodas). Elles font gonfler, en raison de leur taux élevé de sodium.

4 - Le fromage ajouté à un carboné. Renoncez à saupoudrer de parmesan vos pâtes. Remplacez ce fromage par du poivre moulu au moulin et du persil fraîchement haché. Vous verrez, c'est délicieux.

5 - Ajouter des protéines à des carbonés.

6 - Du fromage sur n'importe quoi.

7 - Du lait dans du café.

N'oubliez pas que le lait est une protéine, et qu'il suffit d'une goutte de protéine pour bloquer tout le reste.

Prenez du plaisir à la recherche de vos tolérances propres. Linda, l'une de mes clientes en période d'entretien, parle du plaisir de « découvrir les aliments que je digère et ceux que je ne digère pas. Les fruits, bien sûr, sont parfaits. Le steak est très bien... Bizarrement, je perds du poids un jour de carbonés et j'en gagne un jour de poisson ».

Comme le dit Bill, « Je prends un plaisir supplémentaire à manger, car je ne le paie pas en kilos ».

Le menu d'une semaine-minceur

Maintenant que vous avez atteint votre objectif, et je ne dis pas ça à la légère, mais avec une grande joie, plutôt que de penser à votre poids quotidien, pensez en termes de poids hebdomadaire. Commencez le jour qui vous convient : du dimanche au dimanche, du mardi au mardi. Ceux qui suivent mon régime sont des individus, pas un troupeau.

D'une semaine à l'autre, votre poids doit être le même. D'un jour à l'autre, il ne doit pas dépasser de plus d'un kilo et demi le bon poids. Rappelez-vous que si vous le prévoyez, rien ne fait grossir. Comme vous connaissez sans doute votre emploi du temps une semaine à l'avance, il vaut mieux vous programmer pour une semaine.

Faites un tableau de la semaine et inscrivez d'abord vos rendez-vous, les choses les plus importantes.

Mon programme est de ce type :

Lundi : déjeuner d'affaires au restaurant.

Mardi : déjeuner d'affaires au restaurant ; repas entre amis au restaurant chinois.

Jeudi : réception chez les D., menu inconnu.

Vendredi : déjeuner d'affaires au restaurant ; dîner au restaurant.

Samedi : cocktail chez les A.
Dimanche : déjeuner-buffet avec les T.

J'inscris ces rendez-vous, et puis je construis le reste de mon programme alimentaire autour d'eux.

Mon but : ne pas grossir d'un seul kilo.

	Matin	Midi	Soir
Lundi	fraises fraîches ou surgelées	au restaurant : hamburger avec ketchup frites	poulet
Mardi	ananas	au restaurant : fraises ou ananas	au restaurant : cuisine chinoise
Mercredi	ananas ou pastèque toute la journée		
Jeudi	ananas	ananas	TC, MC, ou RT
Vendredi	ananas	steak, salade et gâteau au fromage	au restaurant : saumon ou truite
Samedi	raisins	raisins	au cocktail chez les A. : raisins - champagne
Dimanche	café noir	au déjeuner- buffet : saumon fumé bretzels et fromage blanc	poulet
Lundi	pastèque ou ananas toute la journée		

Voyons maintenant ce qui se passe en moi au cours de cette semaine.

Lundi : 46,2 kilos. Les fraises et leurs enzymes vont me préparer au hamburger gras et aux frites de midi. Car les enzymes des fraises favorisent l'action de l'acide chlorhydrique qui fait brûler les graisses dans l'estomac. Le poulet vient ensuite, car j'ai pris des protéines au déjeuner. Comme j'ai mangé des protéines, je dois continuer avec elles.

Mardi : 46,7 kilos. J'ai pris 500 grammes depuis lundi, à cause du sel dans le ketchup dont j'ai arrosé mon hamburger d'hier, et de la graisse des frites, et peut-être aussi d'un excès de protéines. Je digère grâce aux enzymes des ananas et je brûle les graisses avec les fraises. J'en ai pris trois fois. Pour perdre les 500 grammes, je mange des fruits pendant les deux tiers de la journée. Je dois aussi me préparer au repas du restaurant chinois du soir. Je ne veux pas me priver, j'adore la cuisine chinoise.

Mercredi : 47,1 kilos. Tout était vraiment trop bon. La sauce de soja très salée m'a possédée, et je pèse près de deux kilos de trop par rapport à mon poids idéal. Alors, pastèque ou ananas toute la journée. Si j'avais eu un rendez-vous aujourd'hui, cela n'aurait rien changé. Je connaissais les conséquences qu'un R.T pouvait avoir sur mon poids. C'est maintenant le moment de le corriger et non la semaine prochaine.

Il n'y a pas longtemps, j'ai mangé uniquement deux pommes de terre au restaurant, décidée à effacer immédiatement les 500 grammes que j'avais pris la veille. J'ai vraiment eu raison, car le lendemain un vieil ami est arrivé de New York et m'a emmenée dîner dans l'un des meilleurs restaurants de Los Angeles.

Jeudi : 46,5 kilos. Je pèse encore trois cents grammes de plus que mon poids et je ne sais pas du tout ce qu'il y a au menu des D. ce soir. Je ne veux pas m'enfermer dans un choix prématuré. En plus, je veux perdre ces trois cents grammes. J'emporte un gros ananas à mon bureau et j'en mange quand j'ai faim pour qu'il me prépare au déjeuner d'affaires que je dois avoir à midi.

Le soir chez les D., il y a une jolie salade, un pain délicieux avec du beurre non salé, et une grande variété de crudités. Je ne touche pas aux autres plats.

Vendredi : 46,2 kilos. Mon poids est parfait ! Pour le déjeuner au restaurant je décide de faire un R.T pour me préparer à ce repas très riche en protéines, je prends des ananas le matin.

Je suis fière de dire qu'au restaurant j'ai mangé comme un être humain. Une bouchée à la fois. J'en ai même laissé un peu dans mon assiette. Ce n'est pas parce qu'une chose est bonne qu'elle s'améliorera encore si j'en prends des quantités.

J'ai pris de la laitue assaisonnée d'huile et de vinaigre. Evidemment j'aurais préféré une salade d'endives avec du roquefort, mais le roquefort est très chargé en sel. Ensuite côte de veau et pêche Melba. Dîner au restaurant ce soir aussi. Comme j'ai eu des protéines à midi, mon choix pour le dîner est évident. Du poisson.

Samedi : 46,2 kilos. Je n'ai pas pris un gramme. Je fais une journée fruits aujourd'hui, non parce que j'ai pris du poids, mais parce que je veux boire du vin ce soir, et ne pas grossir demain avec le déjeuner-buffet. La seule chose qui se combine bien avec le vin ou le champagne, ce sont les fruits. Je choisis le raisin, car je sais que je vais beaucoup manger aujourd'hui. Je vais avoir une journée trépidante et le raisin est facile à emporter partout avec moi : je pourrai picorer sans arrêt à mon aise.

Dimanche : 45,7 kilos. Même si je fais des folies aujourd'hui, cela n'aura pas d'importance. J'ai cet agréable sentiment de sécurité qui vient uniquement du fait que je suis en-dessous de mon poids idéal.

Au déjeuner-buffet des T., il est difficile de résister aux

petits canapés recouverts de toutes ces choses que j'adore. Pour me récompenser de ne pas y succomber, je prends une part supplémentaire de saumon fumé. Dans le courant de la journée, je mange tout un poulet rôti.

Lundi : 46,5 kilos. Mon organisme n'a pas supporté ce sel excédentaire. Le saumon fumé est un criminel. Pastèque au menu jusqu'à demain pour tout évacuer.

P.S. : ça a marché. Le mardi, je pèse à nouveau 46,2 kilos. Vous remarquerez que, même si je ne supporte pas le sel, je ne le bannis pas de ma vie ; votre organisme peut supporter le sel mieux que le mien. J'ai fait des choix cette semaine, des choix fondés avant tout sur le maintien de ma minceur. Aujourd'hui, je ne peux même pas me souvenir de ce à quoi j'ai renoncé la semaine dernière. Tout ce que je sais, c'est que je suis toujours mince, et je ne me sens pas frustrée. Cela peut paraître compliqué, ça ne l'est pas. La préparation de l'orientation alimentaire de la semaine et la Combinaison consciente deviennent vraiment une seconde nature avec un peu de pratique et ce livre comme guide. C'est facile. Et ça marche.

VII

Apprenez à acheter le meilleur !

La plupart de vos repas sont des Mono-Repas, particulièrement dans la phase initiale du Régime de Hollywood. Si
cet unique aliment n'est pas d'excellente qualité vous ne
serez pas heureux. Les mangeurs sont des « drogués ».
Pourquoi ne pas acheter le meilleur quand il s'agit de ce
dont vous avez le plus besoin ? Au moment où vous le
méritez le plus ?

Pendant les cinq premières semaines, reposez-vous sur
moi pour le contrôle de votre alimentation. Vous ne devez
pas perdre d'énergie à décider ce qu'il faut, comment et
quand manger. A l'opposé, concentrez votre attention sur
une seule chose : trouver les meilleurs aliments possible.

Quand Mike T. m'a appelée pour me dire qu'il ne trouvait
pas d'ananas à côté de chez lui, je me suis souvenue qu'il
faisait volontiers quinze kilomètres pour acheter ses
gâteaux préférés, et davantage même pour déguster certaines glaces au chocolat. « Pourquoi, lui ai-je demandé, ne
pouvez-vous faire le même effort pour trouver un ananas ? » Vous aussi, il vous faudra faire des efforts pour
trouver ce qu'il y a de meilleur dans la catégorie d'aliments
auxquels votre régime vous donne droit. En achetant un
steak ou un poulet, choisissez-le vous-même. Prenez la
responsabilité avec vos fruits. Les vendeurs — et même

leurs patrons — ne sont pas obligatoirement des connaisseurs. Après avoir lu ce chapitre, vous en saurez sans doute plus que la plupart d'entre eux.

Si vous faites vos achats toujours au même endroit, adressez-vous toujours au même vendeur. Dites-lui que vous allez avoir besoin de fruits exotiques de façon régulière et que vous comptez sur lui pour vous en mettre de côté, et que vous tenez absolument à n'avoir que des produits de première qualité. Mettez-le « dans le coup », vous verrez, il vous aidera.

Comment acheter les fruits
et les consommer :

1/ N'achetez pas des fruits pas mûrs dans l'espoir qu'ils vont mûrir et que vous les consommerez quand ils seront à point. Si les fruits ne sont pas mûrs, cela veut dire que leur potentiel nutritif ne s'est pas développé. Ils ne présentent donc aucun intérêt alimentaire.

2/ N'achetez pas de fruits qui ont été coupés, à moins que vous ne les mangiez le jour même, car les éléments nutritifs s'échappent, les enzymes disparaissent, et la saveur s'évanouit. En fait, il est rare d'acheter des « portions » de fruits, mais cela peut arriver : la pastèque, par exemple, est vendue en quartiers.

3/ Allez dans les meilleurs magasins. Bien sûr, vous payerez plus cher. Mais établissez les comptes de vos dépenses actuelles avec celles que vous faisiez précédemment et je vous assure que vous constaterez que la balance est tout à fait en faveur du Régime de Hollywood, car vous économiserez sur la cuisine elle-même, donc sur les matières grasses, les condiments divers, le gaz, l'électricité... et aussi — ce qui ne se chiffre pas en argent mais qui a son importance : vous gagnerez le temps que vous passiez à cuisiner.

Vous devrez en consommer beaucoup. Voici quelques petits « trucs » qui vous éviteront de vous en lasser.

— Mangez les fraises et les framboises une à une avec une fourchette. Ne dévorez pas les pommes, coupez-les en petits dés. Emincez les kiwis en minces lamelles. Coupez le haut de votre ananas et mangez-le avec une grande cuillère comme un œuf à la coque (ce qui n'est possible qu'avec un ananas bien mûr).

— Mettez les fruits dans le mixer avec un glaçon, et faites-en une boisson frappée.

— Egrenez les grappes de raisin et mettez les grains dans le congélateur. Mangez-en ainsi gelés, un par un. C'est une délicieuse friandise.

— Préparez des soupes de fruits : coupez les fruits en morceaux, ajoutez un peu d'eau, de la cannelle et laissez bouillir doucement 1/4 d'heure.

— Faites cuire l'ananas comme si c'était un rôti, au four dans du papier d'aluminium, pendant 3 heures à 125°. Mangez-le ouvert en deux et saupoudré de cannelle et de noix de muscade. Ne faites jamais cuire un fruit à plus de 150° sinon la chaleur tuerait les précieuses enzymes. La façon dont la nourriture entre en contact avec la bouche influence le goût qu'elle aura. Le fruit touche votre bouche à un endroit différent selon la façon dont vous le mangez. Vous sensibilisez des papilles différentes selon que vous le mangez avec une fourchette ou avec vos doigts. Mâchez-le bien, savourez-le. Car, maintenant, les fruits ne sont plus pour vous de simples en-cas. Traitez-les avec respect.

Les jours des fruits, emportez les vôtres à votre travail, coupés en morceaux, et empilés dans des boîtes hermétiques. C'est facile à manger. Et si vous n'êtes pas seule à l'heure du repas, ne dissimulez pas que vous suivez un régime. Soyez-en fière. Vous verrez que vous susciterez beaucoup d'intérêt et que vos collègues de travail vous admireront et certains voudront vous imiter.

Voici maintenant votre
petit guide d'achat :

Ananas : il doit être blond doré à l'extérieur, avec des piquants plus sombres et duveteux et ne pas présenter des taches brunes. Sentez-le à la base. L'odeur doit être très fruitée. Si l'ananas est ferme, son écorce verte, ou si sa base seulement est mûre, ne l'achetez pas. L'ananas pas mûr irrite la bouche.

Quand vous ouvrirez le bel ananas que vous avez choisi, vous verrez que sa chair est d'un beau jaune doré (jaune très clair, il n'est pas mûr, brun, il a fermenté).

Papaye : elle est jaune orangé avec des traces vertes à l'extérieur. Certaines saisons, elle devient jaune. Regardez la tige : s'il y a un petit anneau doré autour, que l'odeur est douce, le fruit est mûr. La papaye doit céder à une simple pression du doigt. Si l'odeur est très forte et si elle creuse sous le doigt, elle est trop mûre. La papaye pas mûre est ferme et vert sombre. Je sais qu'on n'en trouve pas partout ni en toutes saisons, mais quand vous en avez l'occasion, n'hésitez pas à en acheter.

Mangue : comme il en existe un grand nombre de variétés, on ne peut pas toujours les juger par leur écorce. Celles qui viennent du Mexique ou de Floride sont d'abord vertes, puis elles se couvrent de taches dorées et rouges. Au milieu de l'été, les mangues doivent être aussi dorées et rouges que possible. Aux autres saisons, la peau reste verte. La mangue des Caraïbes reste toujours verte. Quelle que soit la provenance du fruit, choisissez-le avec une peau toujours un peu ferme. Comme pour tous les autres fruits, s'il n'y a pas d'odeur, il n'y a pas de goût. Si une mangue est parfaitement mûre, elle peut avoir le goût le plus exquis que vous puissiez connaître.

Kiwi : ce fruit à peau verte et d'un rose soutenu à l'intérieur vient d'Australie et de Nouvelle-Zélande ; on en cultive maintenant aussi en France. Ne portez pas la peau à votre bouche, sinon vos lèvres vont gonfler. Les kiwis doivent être assez tendres et s'enfoncer sous une légère pression du pouce. Mangez-les à la petite cuillère comme des œufs à la coque, ou pelez-les.

Kakis : plus doux que le sucre, les kakis sont toujours de couleur orangée. Ne prenez pas ceux qui sont tachés de brun. Il est souvent difficile d'en trouver des mûrs mais je vous indique plus loin une méthode de mûrissement efficace.

Bananes : les enzymes ne fonctionnent totalement que si les bananes sont mûres. Elles doivent être tendres, avec des taches brun clair et avoir un arôme riche.

Pastèque : le fruit le plus difficile à choisir. En raison de sa peau épaisse, il est difficile de dire ce qui se cache à l'intérieur. Mais, sur les marchés, le vendeur prélève dans le fruit un petit morceau qui permet de voir si la chair est rouge et parfumée. Les plus grosses sont les meilleures. Une petite pastèque a été stoppée dans sa croissance. Pour savoir si elle est mûre, tournez-la pour regarder son ventre, c'est-à-dire la partie la plus claire, parce que protégée du soleil, sur laquelle la pastèque a reposé sur le sol pendant toute sa croissance. Cherchez d'abord les petits trous bruns des vers, c'est le signe certain que la pastèque est délicieuse. N'ayez pas de crainte : les vers ne peuvent pénétrer dans le fruit.

Ensuite, donnez un coup sur la pastèque avec le poignet fermé, au niveau du ventre. Si le son est clair, le fruit n'est pas mûr. Si le son est grave, c'est bon. Cherchez une résonance ni trop aiguë, ni trop grave, d'un solide coup de poing, et multipliez les essais d'un endroit à un autre. Vous deviendrez vite un expert. Si le marchand manifeste surprise ou mécontentement, apprenez-lui votre « truc » et il ne vous en voudra plus.

Il existe maintenant des variétés sans pépins. Ne les achetez pas car les pépins sont les réservoirs des éléments nutritifs et des enzymes, essentielles pour éliminer.

Raisin : les espèces sans pépins sont, là aussi, à rejeter. Le raisin trop vert sera acide. Choisissez celui qui tourne au jaune. Il sera plus riche et plus doux.

Figues : plus elles ont l'air tordues et recroquevillées, meilleur sera leur goût. Ne vous fiez donc pas à leur bonne mine. Une peau noire et ravinée cache une superbe chair pourpre. Une figue ronde et lisse contiendra une multitude de graines. La variété verte, quand elle est mûre, a une légère teinte jaune à la base. Mordre dans une figue peut être l'un des plaisirs les plus essentiels offerts à l'être humain.

Pruneaux : n'oubliez pas de les faire tremper et surtout avec leurs noyaux. Vous ne mangerez pas le noyau, mais s'ils sont assez tendres pour que vous puissiez les briser et en extraire les amandes pour les croquer, faites-le, mais ne vous cassez pas une dent pour cela !

Raisins secs : mes préférés — les plus riches et les plus charnus — sont les raisins blonds, moelleux et sucrés. Ils sont vendus en sachets.

Pommes : n'importe quelle variété convient. Mais les meilleures ne sont pas les plus belles : chez les marchands « chics », on cire les pommes pour les faire briller. Et cette cire est un produit chimique que je ne vous recommande pas.

Achetez mûr :

Oui, choisissez uniquement des fruits mûrs, je vous le répète. Bien sûr, idéalement, il faudrait acheter les fruits chaque jour. Mais cela est peu pratique. Des fruits à point tiendront facilement une semaine dans le réfrigérateur (exception faite des bananes qui supportent mal le froid).

Vous serez donc tout à fait tranquille en achetant vos fruits une semaine à l'avance. Chez les grossistes, les pommes et le raisin sont habituellement entreposés dans des chambres froides pendant six mois, alors une semaine ou deux de plus ne leur nuira pas. Les ananas aussi se conservent très bien dans un réfrigérateur, enveloppés dans du papier d'aluminium. Mais rappelez-vous que si vous achetez l'un de ces fruits trop mûrs, il continuera à fermenter même dans le réfrigérateur, et cette fermentation produit de l'alcool.

Si les fruits ne sont pas mûrs :

Si vous ne trouvez pas de fruits mûrs, mais qu'ils soient frais, vous pouvez les faire mûrir de deux façons :

Première méthode : les exposer au soleil, sur un balcon ou un rebord de fenêtre. S'il fait trop froid, placez-les derrière la vitre. Autre méthode : mettez les fruits dans un sac de papier brun, et enfermez-le dans un placard, ou carrément dans votre armoire à glace. J'ai fait mon premier essai avec des mangues ; je pensais qu'il leur faudrait plusieurs jours pour mûrir, et elles ont été à point au bout de vingt heures. C'est une excellente technique pour les kakis, qu'il est souvent très difficile d'acheter aussi doux et mûrs qu'il le faudrait.

Préférez toujours les fruits frais aux fruits congelés ou séchés. Vous n'aurez recours à ces derniers que si vous êtes dans l'impossibilité de trouver des produits frais.

En aucun cas ne consommez des fruits en conserve. Même sans sucre ou autres édulcorants, le sel et divers additifs ont été obligatoirement utilisés pour la mise en conserve.

Les fruits congelés :

Si vous avez un congélateur, coupez les fruits en morceaux, mettez-les dans un sac en plastique et faites-les congeler pour les consommer hors-saison. Les fraises congelées à la maison, par exemple, sont bien meilleures que celles du commerce. Vous pouvez éventuellement congeler des pastèques entières ; elles attendront plusieurs mois sans aucun problème. (il existe de nombreux guides spécialisés dont vous pourrez suivre les conseils pour pratiquer la congélation-maison).

Les fruits secs :

Pour éviter de consommer des fruits traités (les produits chimiques, vous le savez, les empêchent de produire leur effet de désintoxication), achetez-les dans des magasins diététiques. L'emballage fermé, ils se gardent indéfiniment. Et s'il y a des restes, une fois le paquet ouvert, placez-les dans le réfrigérateur où ils se conserveront encore longtemps.

Les noix :

Achetez les noix décortiquées mais non débarrassées de leurs peaux. N'oubliez pas que là se trouvent les éléments nutritifs. Dans des paquets scellés, elles resteront toujours fraîches. Sorties de leurs sachets, gardez-les dans des boîtes étanches. A la bonne saison, consommez de préférence des noix fraîches.

L'huile :

Les huiles que vous consommerez doivent porter sur l'étiquette la mention « pression à froid ». On en vend partout et pas seulement dans les magasins diététiques. Vous avez le choix entre toutes les variétés, maïs, olive, pépins de raisin, tournesol, etc.

Le beurre :

Le beurre cru et non salé est une denrée courante chez les crémiers et même dans les grandes surfaces. Lisez attentivement les étiquettes.

Les légumes :

Achetez-les toujours frais, si c'est possible. N'achetez des légumes congelés qu'en dernier ressort, et fuyez les boîtes de conserve comme la peste.

Les fruits :

Je vous l'ai déjà dit : achetez la meilleure qualité. Ils sont la base même du Régime de Hollywood, alors pas question de lésiner.

Les jus de fruits :

J'ai volontairement exclu les jus du Régime de Hollywood. Car le jus c'est le fruit moins ses fibres essentielles pour l'élimination des déchets de l'organisme. N'oubliez pas que les jus sont trop concentrés en calories et ne contiennent pas de cellulose. C'est un aliment déséquilibré et je le déconseille.

Vous pouvez consommer les fruits sous forme de boisson uniquement si vous les avez passés au mixer — recette que je vous ai indiquée plus haut — car ainsi toutes les fibres sont conservées.

VIII

Les recettes du succès

N'importe quelle recette peut être adaptée à mon régime, simplement en éliminant le sel et en appliquant les bons conseils du Régime de Hollywood.

Je vais vous confier quelques-unes de mes recettes. Mais à vous d'en inventer d'autres, en tenant compte du principe de la Combinaison consciente, c'est-à-dire en n'associant pas ce qui ne va pas ensemble, mais en faisant de bons mariages, comme je vous l'ai longuement expliqué déjà.

Quelques-uns de ces plats figurent dans le programme de six semaines du Régime de Hollywood. Les autres peuvent être utilisés pour des repas Tout-carbonés. Je n'ai pas mis de recettes à base de protéines car tout le monde sait faire griller de la viande, cuire du poisson en papillotes, dorer un rôti au four. Les livres de cuisine abondent en préparations de ce genre. Mais attention au sel ! En revanche, poivrez autant que vous voudrez. En fait, vous n'utilisez plus de sel depuis que vous avez commencé mon régime et vous avez découvert le goût naturel des aliments et vous avez pu constater que l'ail, les épices, les fines herbes rehaussent leur saveur de façon très satisfaisante.

Quelques recommandations importantes

Tous les légumes doivent être frais et de la meilleure qualité. Séchez tous les légumes soigneusement, que vous les consommiez crus ou que vous les fassiez sauter ou frire.

Pour éplucher un poivron, faites-le griller sur la flamme du gaz pendant 5 à 6 minutes en le retournant. La peau se boursoufle et noircit. Passez alors le poivron grillé sous un filet d'eau froide, en le faisant glisser entre vos doigts, ce qui le débarrassera de sa peau.

Les poireaux sont très fragiles et doivent être nettoyés avec grand soin. Fendez-les en quatre et lavez-les en écartant les feuilles pour éliminer toute trace de terre.

Ne pelez pas les champignons, nettoyez-les en les frottant avec du papier linge sous un jet d'eau. Ne les laissez pas tremper. Épongez-les soigneusement dans du papier linge ou un torchon. Les champignons lyophilisés, eux, doivent être trempés dans l'eau. Mais chaude et non bouillante : l'eau bouillante risque de leur donner un goût acide.

Brossez les carottes soigneusement, mais ne les pelez pas, car les éléments nutritifs sont très proches de la peau.

Les tomates cuites ne doivent pas être épluchées, car leur peau aide à la digestion.

Vous pouvez remplacer les herbes fraîches par des herbes séchées, mais le résultat ne sera pas le même. Pourquoi ne pas faire pousser des fines herbes dans un bac sur le rebord de votre fenêtre ? C'est facile et cela prend peu de place.

Vous aromatiserez du vinaigre avec le produit non utilisé des récoltes de votre mini-jardin d'herbes.

Pour éplucher une gousse d'ail, frottez-la doucement avec le doigt ou la lame d'un couteau : la peau se détachera plus facilement. Coupez l'extrémité des gousses et les parties vertes, qui donnent de l'amertume. Les taches brunes donnent aussi de l'amertume, mais je fais partie des gens qui l'aiment ainsi. Je ne suis certainement pas la seule !

Si vous souffrez du manque de sel, essayez d'ajouter à vos plats davantage de fines herbes fraîches, d'ail et de poivre.

Assaisonnements et sauce

Sauce Mazel (*)

1/4 de tasse de vinaigre - 1 tasse d'huile de sésame - ail haché au goût - gingembre haché ou gratté - poivre au moulin. Mélangez tous les ingrédients.

* D'une gousse à l'autre, d'une racine à l'autre, l'ail et le gingembre peuvent varier de force. S'ils restent longtemps dans la sauce, leurs arômes vont se développer. Donc, en fonction du moment où vous faites la sauce, de la force de l'ail et du gingembre, et, bien sûr, du goût de chacun, les quantités peuvent varier. Commencez avec une gousse d'ail et 6 ou 7 grattements de gingembre et augmentez jusqu'à trois fois cette quantité si besoin.

Mousseline d'oignons Mazel

6 oignons, pelés et coupés en tranches fines, 1/4 à 1/2 tasse d'huile (maïs pour une mousseline à la mexicaine, olive pour une mousseline à l'italienne), 1 à 2 gousses d'ail émincées, 1/4 de cuillerée à soupe d'origan (marjolaine), une cuillerée à soupe de thym frais, 1/4 de cuillerée à soupe de thym séché. Cuisez les oignons dans l'huile (ajoutez un peu plus d'huile si les oignons attachent et se dessèchent), sur feux doux, jusqu'à ce qu'ils prennent une consistance très molle. Comptez environ 30 minutes de cuisson. Surtout, remuez souvent et ne laissez pas brûler. Ajoutez l'ail, le thym et l'origan en fin de cuisson.

Cette préparation accompagne les pommes de terre au four ou cuites à la vapeur, tous les légumes et aussi les pâtes.

Mayonnaise Mazel (*)

---

1 œuf, 1 jaune d'œuf, 1/4 à 1/2 cuillerée à soupe de moutarde forte (suivant le goût), 3 cuillerées de vinaigre, 2 tasses d'huile de sésame.

* Si la mayonnaise doit être utilisée avec un hydrate de carbone, remplacez l'œuf entier par un jaune pour que la mayonnaise reste une graisse. Avec un œuf entier, la mayonnaise devient une protéine. Dans un bol, fouettez ensemble l'œuf entier et le jaune, le moutarde et le vinaigre. Ajoutez 1/2 tasse d'huile, une cuillerée à la fois tout en fouettant. Ajoutez l'huile restante en un mince filet jusqu'à ce que le mélange ait pris une consistance de crème épaisse.

Volume : environ 2 tasses.

On peut aussi préparer cette mayonnaise au batteur ou au mixer.

Variante : Ajoutez de l'ail haché, du poivre, ou des fines herbes. Si vous vous servez d'un mixer, coupez d'abord les herbes et hachez-les avant de faire la mayonnaise à laquelle vous les ajouterez lorsqu'elle sera terminée. Vous pouvez aussi les laisser dans le récipient où vous ferez la mayonnaise, afin d'obtenir une mayonnaise verte. Selon la saison vous utiliserez l'estragon, le basilic, le thym, la ciboulette. Le persil est présent tout au long de l'année.

Sauce hollandaise Mazel

1 cuillerée à soupe d'eau froide, 4 jaunes d'œuf, 100 g de beurre non salé coupé en morceaux, légèrement ramolli, 1 cuillerée à soupe de vinaigre, cayenne et poivre au goût.

Cette sauce entre dans la catégorie des graisses : elle peut se mélanger à un hydrate de carbone ou à une protéine. La sauce hollandaise se prépare habituellement au bain-Marie, ce qui est préférable pour les débutantes. Mais si vous savez la faire directement sur le feu, les temps de cuisson sont beaucoup plus courts.

Battez les jaunes d'œuf et l'eau ensemble sur feu doux dans une casserole épaisse. Ajoutez progressivement du beurre, en remuant la casserole de sorte que le mélange soit constamment agité. Quand tout le beurre a été utilisé, ajoutez le vinaigre et l'assaisonnement. Mettez cette sauce dans un thermos ou au bain-marie jusqu'au moment de la servir.

Marinara Mazel

4 cuillerées à soupe d'huile d'olive, 1 tasse d'oignon finement haché, 1/2 tasse de carottes coupées en rondelles, 2 cuillerées à soupe de basilic frais haché, 4 cuillerées à soupe de persil frais haché, 1/2 feuille de laurier, 1 kilo de tomates, coupées en morceaux, 1 cuillerée à soupe de sauce tomate (non salée), poivre au moulin, 1 piment tête d'oiseau.

Faites cuire les oignons dans l'huile jusqu'à ce qu'ils deviennent transparents. Ajoutez les carottes et laissez cuire quatre minutes. Ajoutez le basilic, le persil et la feuille de laurier. Au bout de deux minutes, ajoutez les tomates, le poivre et la sauce tomate, laissez frémir trente minutes. Ajoutez le piment à la fin de la cuisson.

Volume : trois tasses.

Sauce Mazel très épicée et forte

1 gros oignon, 2 cuillerées à soupe d'huile de maïs, 6 gousses d'ail hachées, 4 piments tête d'oiseau, 8 grosses tomates, 2 cuillerées à soupe de persil haché.

Faites blondir l'oignon dans l'huile pendant 3 à 4 minutes, sans le faire roussir. Ajoutez l'ail haché et les petits piments tête d'oiseau. Laissez cuire deux minutes sans laisser roussir. Jetez dans la casserole les tomates coupées en morceaux. Faites sauter 5 minutes. Retirez du feu et ajoutez le persil.

Volume : environ deux tasses.

Sauce fraîche mexicaine

8 grosses tomates coupées en morceaux, 1 gros oignon épluché et coupé en rondelles fines, 2 gousses d'ail pelées et coupées en lamelles, 2 cuillerées à soupe de persil haché, 4 piments tête d'oiseau.

Mélangez tous les ingrédients. Pas de cuisson.

Volume : 5 tasses.

Salades

Salade Mazel

---

800 g d'épinards bien lavés, 2 bottes de cresson, 2 petites endives, 3 carottes râpées, 2 céleris râpés, 1 radis noir râpé, 25 champignons nettoyés et coupés en lamelle, 1 botte de persil haché, 3 poireaux coupés en rondelles, sauce Mazel.

Lavez et séchez tous les légumes. Coupez grossièrement les épinards, le cresson, les endives. Mélangez le tout avec la sauce Mazel.

Volume : pour 2 personnes.

Chou Mazel

---

1 gros chou vert râpé (ou finement émincé), 4 carottes râpées, 20 brins de ciboulette grossièrement hachés. Mayonnaise Mazel ou sauce Mazel.

Mélangez les légumes et recouvrez de la sauce choisie avant de servir.

Pour 2 personnes.

Mini-Mazel

---

800 g d'épinards bien lavés, 20 champignons nettoyés et coupés en lamelles, 4 gros poireaux, nettoyés, séchés et coupés en lamelles. Sauce Mazel.

Mélangez tous les légumes et nappez de sauce pour servir.

Pour 2 personnes.

Le L.T.O.

1 grosse laitue, 4 tomates, 2 concombres pelés, 1 gros oignon rouge pelé, sauce Mazel ou huile d'olive.
Coupez tous les légumes en morceaux de bonne taille. Servez-les recouverts de sauce.
Pour 2 personnes.

Les pâtes

Vous trouverez facilement des pâtes fraîches. Mais vous pouvez en faire vous-même.

Pâtes fraîches sans œufs
Pour 4 personnes : 4 tasses de farine, 1 tasse d'eau, 1 cuillerée à soupe d'huile d'arachide.
Mettez la farine sur une planche. Faites un creux au centre et mettez-y l'eau et l'huile. Travaillez la farine avec les doigts jusqu'à l'obtention d'une pâte ferme. Pétrissez-la pour la rendre souple et élastique, ce qui demande 10 à 15 minutes environ. Couvrez cette pâte d'un saladier et laissez-la reposer 20 minutes. Elle sera ainsi plus facile à étendre.
Divisez là pâte en trois parties. Farinez légèrement une planche à pâtisserie, étendez la pâte au rouleau en une feuille aussi mince que possible. Plus elle sera fine, meilleures seront les pâtes. A cette feuille de pâte mince vous donnerez des formes différentes. Vous pouvez faire :
Des fettucine : Saupoudrez légèrement de farine la feuille de pâte, coupez-la en rubans de 1 cm à 1,5 cm de large, étendez-les sur un linge propre et laissez-les sécher environ

171

1 heure. Les fettucine se laissent cuire à grande eau bouillante salée pendant 4 minutes. Vous les égoutterez bien et vous les servirez avec une sauce ou avec du beurre fondu.

Des tagliatelle : Les tagliatelle se coupent comme les fettucine mais en rubans plus larges : 2 cm. Elles se cuisent et s'accommodent de la même façon.

Les lasagnes : Saupoudrez de farine la feuille de pâte, coupez-la en bandes de 18 à 20 cm de long sur 4 à 5 cm de large ; faites-les cuire 4 minutes à grande eau bouillante salée, égouttez bien à fond et servez avec du beurre fondu ou une sauce.

Pour les pâtes que vous achetez, ne lésinez pas sur la qualité. Les magasins diététiques proposent des pâtes à la pure farine de froment. Moi, je préfère les pâtes importées d'Italie, à la semoule de blé dur. Vous n'avez pas droit aux pâtes à la farine de soja ou avec du sel.

Faites-les cuire en respectant le mode d'emploi indiqué sur l'emballage. Pour ma part, je suggère 3 litres d'eau pour 500 grammes de spaghetti. Ajoutez un filet d'huile et faites bouillir jusqu'à ce que les pâtes soient « al dente », c'est-à-dire fermes.

Le temps de cuisson varie selon l'épaisseur de chaque variété de pâtes. Habituellement, il faut compter 8 à 10 minutes.

Egouttez les pâtes puis assaisonnez-les avec la sauce choisie.

Pâtes à l'huile d'olive et à l'ail

---

450 g de spaghetti, de fettucine ou de nouilles, 1/2 tasse d'huile d'olive, 1 cuillerée d'huile pour mettre dans l'eau de cuisson, 3 gousses d'ail, pelées et émincées, poivre au moulin.

Cuisez les pâtes dans une grande quantité d'eau en ébullition contenant un peu d'huile. Egouttez bien à fond. Remettez-les dans la casserole. Chauffez l'huile et versez-la sur les pâtes. Chauffez 1 à 2 minutes à feu moyen. Ajoutez l'ail * et cuisez 30 secondes à feu doux. Ne faites pas brunir l'ail. Poivrez.

Pour 2 personnes.

Certains cuisiniers conseillent de faire sauter l'ail dans de l'huile d'abord. Si vous le faites, veillez à ne pas le laisser brunir, ce qui lui donne un goût désagréable, ou le rend amer.

Pâtes au beurre et à l'ail

450 g de spaghetti, de fettucine ou de nouilles, 1 cuillerée à soupe d'huile, 1/2 tasse de beurre non salé, 2 à 3 grosses gousses d'ail pelées et émincées, poivre du moulin.

Cuire les pâtes comme indiqué dans la recette précédente. Faites fondre le beurre sans le laisser brunir. Versez-le dans les pâtes et chauffez une ou deux minutes à feu doux. Ajoutez l'ail et chauffez encore 30 secondes. Poivrez et servez.

Pour 2 personnes.

Pâtes aux légumes sautés

8 gros champignons nettoyés et coupés en lamelles, 1/2 tasse et 3 cuillerées à soupe d'huile d'olive, 10 têtes de brocolis, blanchies deux minutes à l'eau bouillante et rincées à l'eau froide, 10 pointes d'asperge coupées, blanchies à

l'eau bouillante deux minutes et rincées, 500 g de spaghetti cuits et égouttés, 2 grosses gousses d'ail hachées, poivre au moulin.

Certains cuisent les pâtes dans l'eau de cuisson des légumes. Faites revenir les champignons dans 1 cuillerée à soupe d'huile pendant 1 à 2 minutes. Retirez du feu. Faites sauter les brocolis une minute dans 1 1/2 cuillerée à café d'huile. Faites sauter les asperges dans 1 1/2 cuillerée à café d'huile.

Chauffez 1/2 tasse d'huile. Faites-y sauter les pâtes 1 à 2 minutes. Ajoutez les légumes, l'ail et laissez cuire une minute. Ajoutez du poivre et servez.

Pour 2 personnes.

Pâtes aux petits pois

---

1 tasse d'oignons finement hachés, 1/4 de tasse de beurre, 1/4 de tasse d'huile d'olive, 2 gousses d'ail hachées finement, 300 g de petites coquillettes cuites et égouttées, 150 g de grosses coquillettes cuites et égouttées, 2 1/2 tasses de petits pois, 1 tasse de persil haché, poivre du moulin.

Faites sauter les oignons dans le mélange de beurre et d'huile pendant 6 à 8 minutes. Ajoutez l'ail et laissez cuire très doucement 5 minutes. Retirez du feu, ajoutez les pâtes, les petits pois, le persil et le poivre. Mélangez bien avant de servir.

Pour 2 personnes.

Sauce au basilic pour les pâtes

1/2 tasse de persil, 3/4 de tasse de feuilles de basilic frais sans les queues, 4 gousses d'ail pelées et hachées, 1/2 tasse d'huile d'olive, poivre du moulin, un peu d'eau de cuisson des pâtes une fois égouttées.

Réduisez en purée, le persil, le basilic et l'ail en les pilant dans un mortier ou en les passant au mixer. Ajoutez à cette purée, en tournant comme une mayonnaise, l'huile, l'eau des pâtes et le poivre.

Lasagnes au basilic

500 g de lasagnes cuits, égouttés et rincés à l'eau froide. 2 oignons, hachés et sautés dans 30 g de beurre, 30 champignons coupés en lamelles et sautés dans 30 g de beurre, de la sauce au basilic.

Dans un plat allant au four, disposez une couche de lasagnes, puis d'oignons et de champignons, nappez de sauce. au basilic. Remettez une couche de pâtes, oignons, champignons, sauce. Terminez par une couche de pâtes. Faites cuire au four pendant 25 minutes à 250°. Servez avec le reste de sauce au basilic dans une saucière.

Pour 2 personnes.

Lasagnes aux légumes

Les lasagnes aux légumes sont délicieuses, nutritives et très commodes quand vous recevez, car elles peuvent être mises au réfrigérateur après avoir été préparées, puis réchauffées au moment voulu.

La recette est celle que vous trouverez à la page 173 (Pâtes aux légumes sautés). Voici deux variantes de cette recette.

Variante 1 : Vous pouvez ajouter des courgettes sautées, des brocolis, des épinards.

Variante 2 : Vous pouvez remplacer les oignons émincés par de la Mousseline d'oignons Mazel (voir page 166).

Pommes de terre :
pour tous les goûts

A la vapeur, en frites, sautées à votre gré.

Pommes de terre au four

Lavées, non pelées, coupées en deux et cuites 45 minutes au four. Servez avec du raifort frais râpé et du cayenne. A défaut de raifort, du radis noir râpé. On vend du raifort au vinaigre mais n'en abusez pas à cause du sel. La sauce au basilic accompagne aussi très bien les pommes de terre au four.

Pelures à la Baldwin

Gardez les peaux des pommes de terres cuites au four et enduisez-les de beurre. Saupoudrez de cayenne et de poivre noir et passez au grill.

Salade de pommes de terre à l'américaine

Pommes de terres cuites à la vapeur, épluchées et coupées en dés, servies avec des échalotes hachées, du céleri haché, du poivre rouge et des oignons sautés à l'huile. Nappez de mayonnaise Mazel (uniquement au jaune d'œuf).

Salade de pommes de terre à l'italienne

Pommes de terre cuites à l'eau, pelées et coupées en dés. Faites sauter un piment rouge et un piment vert coupés en lamelles dans de l'huile. Mélangez les pommes de terre et le poivre avec un peu d'huile d'olive, des graines de fenouil et de l'ail finement haché. Servez chaud. A volonté, ajoutez du poivre et des herbes hachées.

Galettes de pommes de terre

4 grosses pommes de terre non pelées et finement râpées, 1 oignon pelé et finement haché, 1 cuillerée à soupe de farine, poivre du moulin, 1/4 à 1/2 tasse d'huile de maïs.

Mélangez les pommes de terre et l'oignon râpés. Ajoutez la farine et le poivre et mélangez lentement. Laissez reposer 10 minutes. Avec cette préparation formez des galettes rondes de 6 centimètres de diamètre environ.

Faites frire les galettes dans un peu d'huile chaude jusqu'à ce qu'elles brunissent et croustillent de chaque côté, en appuyant dessus avec une spatule en bois. comptez environ 5 minutes de cuisson de chaque côté.

Pour 2 personnes.

Galettes de pommes de terre

1 petit oignon jaune, 3 grosses pommes de terre (roses de préférence), 2 cuillerées à soupe de fécule de pommes de terre, beurre non salé ou huile, crème fleurette, pincées de cannelle.

Râpez l'oignon et les pommes de terre. Ajoutez la fécule, et formez des galettes avec cette préparation. Faites frire dans le beurre ou l'huile. Servez avec la crème aromatisée de cannelle.

Pommes de terre sautées

---

2 pommes de terre, 4 carottes grattées, 2 poireaux bien nettoyés, 2 cuillerées à soupe d'huile de maïs, cannelle et noix de muscade, 800 g d'épinards bien lavés.

Coupez en tranches les pommes de terre et les carottes en rondelles un peu plus grosses. Coupez les poireaux en tronçons de 2 doigts environ d'épaisseur.

Dans l'huile chaude, faites frire les pommes de terre, les carottes et les poireaux pour qu'ils soient bien dorés et un peu croustillants. Couvrez et laissez cuire 10 à 15 minutes. * Assaisonnez à votre goût de cannelle et de noix de muscade. Enlevez le couvercle et poursuivez la cuisson à feu doux une vingtaine de minutes. Ajoutez alors les feuilles d'épinards et laissez cuire jusqu'à ce qu'elles se recroquevillent, ce qui ne prend que quelques secondes.

Pour 2 personnes.

Variante : Utilisez du beurre non salé au lieu d'huile.

Les soupes

Gaspacho

---

5 grosses tomates coupées en dés, 1/2 concombre coupé en dés, 1/2 poivron vert coupé en petits morceaux, 1 oignon en rondelles, 6 cuillerées à soupe d'huile d'olive, 3 cuillerées à soupe de vinaigre, 1/2 cuillerée à café de poivre noir, 1/8 de cuillerée à café de cumin.

Mettez de côté 2 cuillerées à soupe de dés de tomates, de poivrons et de concombre. Avec un mixer, mélangez le reste des tomates, du concombre, du poivron, l'oignon, l'huile, le vinaigre, le poivre et le cumin jusqu'à obtention de la consistance d'une soupe. Servez avec les dés réservés de tomate, de concombre et de poivron vert.
Pour 2 personnes.

Soupe aux épinards

---

800 g d'épinards lavés et séchés, 1 pomme de terre, 1 carotte, 1 oignon en rondelles, 3 gousses d'ail, persil ou cayenne.
Râpez la pomme de terre. Hachez tout le reste. Faites cuire 25 minutes dans 3/4 de litre d'eau bouillante, casserole couverte.
Pour 2 personnes.

Préparations tout-carbonés

Couscous Mazel

---

8 champignons lyophilisés, 1 gros oignon finement haché, 1 feuille de laurier, 2 cuillerées à soupe d'huile, 3 gousses d'ail finement haché, 1 cuillerée à café de cumin en poudre. Cayenne, aneth, 1 tasse de couscous cuit (voir ci-dessous le mode de cuisson).

Faites tremper les champignons dans de l'eau chaude pour les ramollir (15 minutes). Egouttez-les et retirez les queues si elles sont dures. Coupez le reste en petits morceaux.

Faites sauter l'oignon avec le laurier dans l'huile. Ajoutez l'ail, les champignons et les épices, et faites cuire jusqu'à ce que les oignons commencent à brunir.

Mélangez tous les ingrédients avec le couscous cuit. Enlevez le laurier avant de servir.

Pour 2 personnes.

Cuisson du couscous

---

1 cuillerée à soupe d'huile, 1 feuille de laurier, 1 tasse de couscous, 2 1/2 tasses d'eau.

Faites chauffer l'huile dans une poêle. Ajoutez le couscous et le laurier. Laissez blondir, sans faire brûler. Mettez dans une casserole avec l'eau. Faites bouillir à petits bouillons. Réduisez le feu au minimum, couvrez, et laissez jusqu'à ce que toute l'eau soit absorbée (10 à 20 minutes).

Pizza Mazel

Pâte : 1 sachet de levure, 1 tasse d'eau tiède, 4 cuillerées à soupe d'huile d'olive, 2 cuillerées à café de saindoux, 1 cuillerée à soupe de graines de fenouil, 1 cuillerée à café de piment rouge séché.

Délayez la levure dans une petite cuillerée d'eau. Mettez la farine dans un saladier, ajoutez la levure et 4 cuillerées à soupe d'huile. Mélangez doucement pour former une pâte

181

qui ne colle pas. Il peut être nécessaire de lui ajouter un peu d'eau quand elle a une bonne consistance souple. Ajoutez le fenouil et le piment, puis pétrissez (à la main) 1 minute.

Versez 2 cuillerées à café d'huile dans un saladier propre, mettez-y la pâte et recouvrez-la de saindoux. Couvrez le saladier avec le couvercle et mettez dans un endroit chaud (80°) pour faire doubler le volume (une heure à une heure et demie).

Garnissage et cuisson (préchauffez le four au maximum) 2 1/2 tasses d'huile d'olive, 1 tasse de Marinara Mazel bien épaisse, 7 gros oignons coupés en rondelles, 2 poivrons rouges en rondelles, 1 poivron vert en rondelles, 20 champignons frais coupés en lamelles épaisses, 1 cuillerée à soupe de graines de fenouil, 1/2 cuillerée à soupe de piment en poudre, 14 tomates olivettes, ou à défaut 5 tomates mûres mais fermes, pelées, épépinées et sans jus, 10 gousses d'ail pelées et hachées, 3 cuillerées à soupe de fines herbes fraîches : persil, thym, ciboulette, etc. (ou 2 cuillerées à café d'herbes séchées).

Cuisez les oignons dans 1/2 tasse d'huile à feu très doux pendant 40 minutes, pour qu'ils soient translucides.

Divisez la pâte en trois parties égales que vous cuirez dans trois plats différents (des plats de 23 centimètres sont parfaits ; des moules ronds conviennent également). Mettez 3 cuillerées à soupe d'huile dans chaque plat.

Sur une table farinée, étalez chaque morceau de pâte en un disque mince. Mettez chaque disque dans un plat très légèrement huilé. Formez les bords en remontant la pâte et en la pinçant entre vos doigts.

Dans une poêle faites sauter les oignons dans 3 cuillerées à soupe d'huile chaude pendant 2 minutes. Retirez-les de la poêle et mettez-les de côté. Ajoutez dans la poêle 3 autres cuillerées d'huile et faites sauter les champignons pendant 3 minutes pour qu'ils soient bien colorés. A leur tour, retirez-les de la poêle et mettez-les de côté. Baissez le feu et ajoutez l'ail et les tomates coupées en morceaux ; mélangez pendant

30 secondes (ajoutez de l'huile si nécessaire).

Répartissez les oignons sur les trois disques de pâte. Versez dessus la sauce Marinara, puis les poivrons et les champignons et les tomates à l'ail. Saupoudrez le tout avec les herbes, les graines de fenouil et le poivre. Mettez au four, faites cuire 20 minutes à four doux. Enduisez alors les bords de pâte d'huile et remettez au four 5 à 10 minutes, ou jusqu'à ce que les croûtes soient bien dorées.

Si la dimension de votre four ne vous permet pas d'y mettre les 3 plats à la fois, vous pouvez cuire les pizzas successivement et repasser au four les premières cuites pendant quelques instants pour les réchauffer avant de les servir.

Pour avoir de la sauce Marinara épaisse, faites-la réduire à feu moyen jusqu'à consistance souhaitée.

Les herbes et les graines peuvent être écrasées au pilon ou avec une bouteille sur une planche de bois.

Maïs aux poivrons

4 poivrons verts, 3 gros poireaux bien nettoyés, 2 cuillerées à soupe d'huile de maïs, 4 poivrons rouges, 4 épis de maïs, 3 gousses d'ail émincées.

Faites bouillir les épis de maïs 20 minutes à l'eau bouillante. Egouttez-les. Egrenez-les.

Coupez en dés les poivrons et les poireaux en tronçons d'un doigt environ.

Dans une grande sauteuse ou dans une cocotte, faites revenir les poireaux, les poivrons, les grains de maïs, dans l'huile de maïs. Ajoutez l'ail à la fin, remuez et servez immédiatement.

Pour 2 personnes.

Riz frit aux légumes

3 blancs de poireaux coupés en tronçons d'un doigt d'épaisseur environ, 10 champignons frais, 12 à 16 pointes d'asperge, 10 gousses de poids gourmands lavées et coupées en morceaux, 1 tasse de riz non traité, 4 cuillerées à soupe d'huile, 2 gousses d'ail émincées.

Faites cuire le riz dans deux tasses d'eau bouillante, dans une casserole couverte, à petit frémissement, pendant 20 minutes.

Chauffez l'huile dans une sauteuse ou dans une cocotte. Mettez-y les légumes à dorer rapidement, en les remuant, pendant 2 à 3 minutes.

Ajoutez l'ail et le riz, en remuant rapidement. Faites chauffer 3 minutes. Servez immédiatement.

Pour 2 personnes.

Légumes sautés à la chinoise

24 pointes d'asperges, 4 blancs de poireaux, 1 cuillerée à café d'huile, 2 gousses d'ail émincées, poivre.

Coupez les asperges et les poireaux en tronçons d'un doigt environ d'épaisseur.

Dans une poêle, faites dorer les légumes pendant 5 minutes environ dans l'huile chaude. Ajoutez l'ail et le poivre, remuez 4 minutes. Servez immédiatement.

Pour 2 personnes.

Si vous aimez les poireaux bien cuits, faites-les cuire à l'eau bouillante non salée 8 minutes avant de mettre les autres légumes dans la poêle.

Tempura Mazel

Le tempura est un plat japonais, composé généralement de légumes, de poissons et de crustacés coupés en morceaux, plongés dans une pâte faite de farine, d'eau et de jaune d'œuf, puis frits, égouttés et présentés agréablement sur un petit plat avec un napperon. La consistance de la pâte (ni trop épaisse, ni trop légère), et la température de l'huile (350°) sont particulièrement importantes. Le tempura ne peut attendre et doit être immédiatement servi après sa cuisson. Ma version de cette recette ne comprend que des légumes.

5 asperges coupées en morceaux, 2 grosses carottes coupées en grosses rondelles, 10 haricots verts équeutés, 2 petites courgettes coupées en fines rondelles, 1 poivron coupé en lanières avec la queue et les pépins enlevés, 6 champignons lyophilisés et lavés à l'eau chaude et épongés, 6 grosses branches de persil équeutées et séchées.

Nettoyez les légumes. Séchez-les soigneusement. Préparez la pâte. Il vous faut :

eau froide, 2 1/4 tasses de farine, 3 jaunes d'œuf, 1 1 1/2 d'huile de maïs.

Ajoutez l'eau progressivement à la farine en fouettant jusqu'à ce que le mélange ait la consistance d'une crème épaisse. Battez les jaunes d'œuf et mélangez-les à la pâte.

Faites chauffer l'huile à 350° dans une friteuse. Plongez les légumes dans la pâte puis dans le bain de friture jusqu'à ce qu'ils soient bien dorés (1 à 2 minutes).

Egouttez-les et posez sur du papier absorbant. Servez brûlant.

Je présente le tempura dans de petites corbeilles plates en vannerie. C'est joli, et croyez-moi, délicieux.

Poivrons Mazel

6 poivrons verts, mousseline d'oignons Mazel (recette page 166), eau froide, 3/4 de tasse de farine, 1 jaune d'œuf, de l'huile pour la friture (environ 1.5 litre), de la sauce Mazel épicée.

Fendez les poivrons en deux dans le sens de la longueur. Retirez les graines. Remplissez-les de mousseline d'oignons Mazel. Fouettez doucement ensemble l'eau froide et la farine pour obtenir la consistance d'une crème épaisse. Battez le jaune d'œuf et ajoutez-le à la pâte.

Chauffez l'huile à 350°. Plongez chaque poivron dans la pâte puis dans le bain de friture et faites dorer 3 minutes. Egouttez sur du papier absorbant. Servez nappé de sauce Mazel épicée.

Pour 2 personnes.

Tarte Mazel à la mexicaine

2 1/2 tasses d'eau froide, 1 1/3 tasse de farine de maïs, une bonne pincée de poivre de cayenne et une de cannelle, 2 à 3 cuillerées à soupe d'huile de maïs, 3 oignons pelés et hachés grossièrement, 8 grosses tomates grossièrement hachées, 2 poivrons verts pelés et hachés, 2 gousses d'ail pelées et émincées, 1 cuillerée à soupe de persil haché.

Délayez la farine de maïs dans l'eau. Ajoutez le cayenne. Faites cuire en remuant sur feu moyen pendant 5 à 8 minutes. Etalez-en une couche d'un centimètre 1/2 environ d'épaisseur dans le fond d'un plat allant au four et pouvant être présenté à table (Pyrex, porcelaine à feu). Laissez en attente.

Faites cuire sur feu doux les oignons dans l'huile jusqu'à ce qu'ils ramollissent et deviennent translucides (10 à 15 minutes).

Ajoutez les tomates, les poivrons et l'ail, et laissez cuire 2 à 3 minutes. Versez cette préparation sur la pâte de maïs et mettez au four à 350° pendant 20 à 25 minutes. Servez dans le plat de cuisson après avoir saupoudré de persil haché. *Pour 2 personnes.*

Bretzels

---

1 sachet de levure, 1 1/2 tasse d'eau chaude, 4 tasses de farine non blanchie, 1/2 tasse de farine de blé complet, 1 cuillerée à soupe de son, 6 litres d'eau bouillante.

Faites dissoudre la levure dans 1/2 tasse d'eau. Couvrez, mettez au chaud et laissez reposer 15 minutes. Ajoutez le mélange de levure et le reste d'eau au mélange farine/son pour faire une pâte légère. Pétrissez 5 minutes sur une planche farinée. Couvrez la pâte et laissez-la gonfler 15 minutes. Etalez-la sur 5 à 6 millimètres d'épaisseur et coupez-la en 8 à 10 morceaux que vous roulerez en minces boudins, avec lesquels vous formerez des cercles de 5 centimètres environ de diamètre. Couvrez-les avec un torchon et laissez-les lever à nouveau pendant 20 minutes. Jetez les bretzels dans de l'eau bouillante pendant une minute. Egouttez-les, disposez-les sans qu'ils se touchent sur une plaque sèche et non graissée. Faites cuire au four à 350° pendant 30 minutes.

Variante : Faites revenir 1/4 tasse d'oignons hachés, dans du beurre non salé et éparpillez-les sur les bretzels avant de les faire cuire au four.

IX

Réceptions, repas d'affaires, voyages, vacances, réunions amicales, fêtes familiales : que faire ?

Deux choses font grossir les gens : leur vie sociale et leur vie émotionnelle. Je suis la proie des deux. Beaucoup d'entre vous aussi. Tout est prétexte à de fins repas : fêtes de famille, réunions amicales, rencontres professionnelles. La bonne cuisine est présente dans tous les magazines féminins sous forme d'alléchantes photos. Et quelle femme ne tient pas à faire à ceux qu'elle aime la surprise et le plaisir de petits plats préparés avec amour. Je serais folle de vous demander d'abandonner tout cela ; je ne voudrais pas le faire moi-même et je ne l'ai jamais fait. Evidemment, au cours des premières semaines du régime, il faut renoncer à un certain nombre d'aliments et de boissons. C'est le cas dans tous les régimes amaigrissants. Mais vous pouvez cependant programmer des « orgies » alimentaires, en profiter pleinement, sans arrière-pensée et cela tout simplement en vous donnant l'autorisation sans honte et avec plaisir.

Au début

Surtout, ne faites aucun « sacrifice social » pendant le Régime de Hollywood. Par sacrifice social j'entends refuser une invitation importante sur le plan professionnel ou amical ; par exemple un cocktail où vous auriez l'occasion de lier d'intéressantes relations d'affaires, ou le mariage de votre meilleure amie.

Ne construisez pas une barrière artificielle autour de vous pour vous enfermer dans le Régime de Hollywood. Ce régime est un mode de vie, et l'intégration sociale est un élément fondamental de ma méthode. Pensez-vous que les vedettes de Hollywood que j'ai fait maigrir vivent enfermées chez elles ? Il en va de même pour mes clients les plus modestes ; ils sortent, rencontrent des amis, déjeunent avec leurs collègues de travail.

Les uns comme les autres ont accepté de ne pas cacher qu'ils suivent un régime et demandent à leur entourage — quand cela est nécessaire — d'en tenir compte en toute simplicité.

Ainsi, J.H., épouse d'un ambassadeur, est allée à un cocktail très officiel et a mangé les figues qu'elle avait apportées. J.C., femme d'affaires très lancée, doit se rendre à des réceptions environ six soirs par semaine. Au préalable, elle téléphone à son hôtesse, lui explique son régime et voit si des plats du menu s'accordent avec ses besoins. Si tel n'est pas le cas, J.C. apporte ses propres aliments et se les fait servir. Etre simple, naturel, je le répète, vous permettra de vivre votre régime sans en être gêné ni sans gêner les autres. L'acteur D.T. mangeait ses fraises en jouant au golf, sa pastèque au studio et son raisin à une réception.

Donnez-vous une consigne avant d'aller à une réception. Si c'est un jour de raisin, mangez des raisins, et c'est tout. Rappelez-vous, personne ne peut vous obliger à faire ce que vous ne voulez pas faire. Et n'ayez pas de regrets. Il y aura d'autres dîners et d'autres réceptions. Votre vie ne s'arrêtera pas parce que vous suivez ce régime.

Quand vous êtes invité, emportez votre nourriture du jour ou, si la maîtresse de maison vous le propose, laissez-la se charger de vous offrir ce à quoi vous avez droit. Elle aura ainsi l'impression de vraiment vous « recevoir ».

N'ayez pas honte de dire que vous suivez un régime. Si vous êtes visiblement trop gros, et que vous mangiez ce que mangent les autres invités, ils se demanderont sans doute pourquoi vous n'êtes pas au régime. Si vous avez déjà maigri et que vous faites un régime pour perdre les derniers cinq kilos, ou si vous êtes en période d'entretien et que vous avez besoin d'énergie supplémentaire, vous pouvez vous comporter comme les autres convives et déguster les plats qui vous sont présentés. Vous n'êtes ni une victime ni un martyr, mais quelqu'un qui a absolument besoin de perdre quelques kilos, qui le reconnaît et suit ouvertement un régime efficace. L'une de mes clientes qui suivait mon régime surtout parce qu'il avait réussi à beaucoup de ses amies, continuait à refuser toute invitation. « Je ne peux pas suivre mon régime, confessa-t-elle finalement. J'ai trop d'amis et je me ferais remarquer si je ne mangeais pas comme tout le monde. » « Oh ! ai-je répondu, et vos amis n'ont pas remarqué que vous êtes grosse ? »

Quand vous aurez franchi le cap des premières semaines du Régime de Hollywood, vous serez libre de choisir de faire un repas normal ou de vous limiter à la nourriture prévue pour ce jour-là. Quand je suis invitée, chaque fois qu'un plat m'est offert je me pose la question suivante : est-ce un bon aliment pour moi ? Je me réponds honnêtement à moi-même. Si c'est oui, je me sers. Si c'est non, je prie la maîtresse de maison de m'excuser. Je parle sans honte de mon régime. Je sais que si j'accepte une bouchée, une autre suivra et bien d'autres ensuite.

Si vous voulez boire du vin et être sûr de perdre du poids,

faites un jour Tout-Fruit chez vous ou chez des amis, vous mangerez des fruits tout en buvant du vin.

Un jour Tout-Boisson, vous pouvez boire de l'alcool, mais cela implique, souvenez-vous-en, que vous ayez auparavant mangé uniquement des fruits, si vous voulez boire du vin. Si vous avez consommé des carbonés, vous pouvez boire tous les alcools carbonés, sauf le vin. Si vous avez mangé des protéines, vous ne devez pas boire du tout.

Avec un repas Tout-carboné, vous pouvez boire tous les alcools de grain, tels que le whisky ou la vodka, et manger des carbonés, crudités, chips et biscuits par exemple.

Si vous mangez sans boire et que vous vouliez vraiment perdre du poids, fuyez les fausses combinaisons. Dans les hors-d'œuvre, ne prenez que les protéines ou seulement les carbonés. Vous aurez besoin de faire quelques essais pour apprendre ce que votre organisme tolère en matière de sel et autres « polluants ». Rappelez-vous que les lois physiques sont constantes. Celles des individus ne le sont pas.

Evitez les aliments trop salés. Essayez de résister aux chips et aux noisettes de l'apéritif.

Evitez le fromage et les biscuits d'apéritif et tout ce qui comporte de la gelée ou de la gélatine.

Faites attention aux grignotages. Réfléchissez bien : allez-vous à un cocktail pour manger ou pour voir des amis ? Essayez de vous concentrer sur les conversations plutôt que sur la nourriture.

Ne restez pas planté à côté de la table où d'alléchantes pâtisseries sont à portée de votre main. Eloignez-vous du buffet.

Ne laissez pas n'importe quelle situation vous dicter votre alimentation. Faites vos propres choix. Faites-vous plaisir à vous et non à quelqu'un d'autre. Vous finirez ainsi par faire aussi plaisir aux autres, et surtout à ceux que vous aimez, qui seront heureux de vous voir mince et délivré de vos angoisses.

Vous pouvez, bien sûr, vous trouver dans une situation difficile. Cela m'est arrivé plus d'une fois, et, tout récemment, alors que mon amie Suzie et moi avions été invitées par un ami très fier de sa réputation de fin cuisinier. Nous n'étions que tous les trois. Le poisson trop cuit, le poulet pas assez, la sauce trop salée. Mais le tout superbement présenté. Notre hôte pensait que c'était une réussite. Nous ne pouvions le détromper. Alors nous avons mangé. Ce n'était après tout qu'un seul repas... et nous savions que l'ananas nous sauverait dès le lendemain.

Dites-vous bien que vous n'avez aucune obligation de manger un aliment uniquement parce qu'il vous est offert ou que vous l'avez là, devant vous. J'emporte toujours quelque chose avec moi, à titre de sécurité, au cas où il n'y aurait rien dont je voudrais réellement. Des noix, par exemple. Souvent, dans un cocktail, je ne prends rien d'autre.

Si vous êtes coincé dans une réception où la nourriture ne vous tente pas particulièrement soit parce qu'il s'agit de mets que vous n'aimez pas ou que, raisonnablement, vous savez qu'ils sont mauvais pour vous et vont vous faire grossir, vous risquez d'avoir faim. Et cela pendant la durée de la réception, une heure et demie en moyenne.

Alors pensez à ce dont vous pourrez vous régaler lorsque vous aurez pu vous esquiver. Pensez à la saveur d'un bel ananas doré, au plaisir de croquer dans une pomme, à la fraîcheur d'une salade Mazel... Tout cela vous semblera bien meilleur que les pizzas rassises, les « canapés » desséchés, les saucisses froides qui s'amoncellent sur les buffets !

Les réveillons

Pour le prochain réveillon, offrez-vous le plus beau des cadeaux : le corps dont vous avez rêvé et la conscience de ce qu'il faut faire pour le garder. Alors comment se tirer des pièges des grandes festivités de fin d'année ? Voici un menu qui tient compte des principes du Régime de Hollywood. Il vous servira de guide et votre imagination vous en suggérera d'autres tout aussi satisfaisants.

Dinde ou farce, au choix
Ou
Pommes de terre et marrons
et
1 dessert (facultatif)
ou
3 desserts

Vous pouvez aussi, si vous en avez vraiment envie, faire de Fausses Combinaisons : exemples :

Dinde farcie ou dinde aux marrons ou dinde et dessert
ou
Repas traditionnel

Choisissez l'une des combinaisons, et mangez autant que vous le souhaitez. Une fois que vous avez fait votre choix, c'est le bon. Et pas de : « Juste une bouchée ». Mangez à satiété, jusqu'à ce que vous en ayez assez. Ajoutez aux aliments cités des haricots verts et de la salade. Vous pouvez en prendre 365 jours par an ; pourquoi vous interdire ces légumes le jour du réveillon ? Si vous faites un repas MC ou RT faites attention et soyez discipliné.

Mangez votre RT comme l'a fait Laurie. « Le réveillon pendant que je suivais le Régime de Hollywood, cela a signifié que je pouvais manger tout ce que je voulais, de la tarte aux pommes de maman à la farce de la dinde de tante Hélène. Pour une fois dans ma vie, j'ai été capable de goûter réellement les aliments que je mettais dans ma bouche.

194

J'aurais certainement pu énoncer les épices que contenait chaque plat, un par un. A la fin du dîner, je me sentais en pleine forme, parce que, bien qu'ayant mangé à satiété, je n'étais pas gonflée. Et le lendemain matin, sur ma balance, constater que je n'avais pas grossi du tout a été mon plus beau cadeau de Noël.

Les anniversaires

Votre anniversaire c'est votre jour à vous et celui de personne d'autre. Même ceux qui vous taquinent sur votre ligne vous emmènent au restaurant, vous comblent de friandises, veulent absolument vous faire plaisir. Eh bien, cette année, vous avez quelque chose à fêter : votre minceur.

Pour donner une nouvelle force à mon choix, parce que la baleine de 77 kilos que j'étais rôde toujours aux environs, j'ai décidé de faire de mon anniversaire l'un des jours les plus austères de l'année, presque un jour de culte et d'adoration de moi-même, de ma santé et de ma minceur.

Je sais trop bien que ce qui s'est passé autrefois peut toujours se reproduire. Ces petites cellules avides de graisse sont prêtes à tout, attendant avec impatience l'occasion de se remplir à nouveau. Au lieu de manger, je me fais un cadeau, quelque chose de particulier auquel j'ai pensé toute l'année écoulée. Bien sûr, beaucoup de mes clients ignorent mon exemple et célèbrent ce jour avec la nourriture, et c'est parfait, car ensuite ils font tout pour reperdre les kilos pris. Ainsi la femme d'un producteur de cinéma, J.A. : pour son anniversaire, elle s'est non seulement offert sept hors-d'œuvre et entrées dans un excellent restaurant, mais elle a pris aussi trois coupes de crème glacée aux pralines et à la Chantilly comme dessert. En trois jours, elle a reperdu un kilo de plus que ce qu'elle pesait avant son anniversaire.

Banquets et mariages

Ils représentent une catégorie particulière, car ils ont un point commun : la nourriture est préparée en grande quantité. Avant de prendre une décision sur la conduite à tenir, il faut vous demander si vous voulez vraiment massacrer votre régime pour un repas certainement excellent mais qui, élaboré pour 80 ou 100 personnes ou plus, ne peut pas être très raffiné. Cela vaut-il vraiment la peine de manger sans tenir compte des combinaisons alimentaires ?

Comme il y a toujours de la salade, du pain et du beurre, mieux vaut réserver vos écarts à une autre occasion et vous contenter des plats tout carbonés, par exemple des légumes, des gâteaux et du champagne. Mais, méfiez-vous, des protéines peuvent entrer dans la composition des sauces.

S'il s'agit d'un banquet organisé par votre famille ou des amis, n'hésitez pas à annoncer que vous suivez un régime. Il vous sera toujours possible d'obtenir des pommes de terre cuites au four ou un plat de légumes et, bien sûr, des fruits.

X

Les restaurants et leurs pièges

Je ne m'attends pas à ce que vous deveniez un ermite. Au contraire ! Vous ne pensez pas qu'à Hollywood nous restons toujours chez nous, n'est-ce pas ? Mais quand vous allez au restaurant, n'importe lequel, rappelez-vous que vous payez pour beaucoup plus que la nourriture : vous payez pour le service. Les serveurs sont là pour vous être agréables, pas l'inverse. Quoi que vous désiriez, n'ayez pas peur de le demander.

Pour perdre du poids

Si c'est un jour « ananas », mangez de l'ananas. Bientôt vous pourrez manger, et bien manger, dans votre restaurant favori. Mais tant que vous en êtes à cette partie très stricte du Régime de Hollywood, avant de pratiquer la Combinaison consciente, vous n'avez pas le choix.

Il y aura certainement des jours, lorsque vous serez en période d'entretien, où vous aurez tout prévu pour votre alimentation et où arrivera une invitation de dernière minute pour laquelle cela ne vaudra pas la peine de prendre du poids. Mais rappelez-vous que la vie est remplie d'invitations imprévues, certaines plus agréables que d'autres.

Je suis allée dans quelques-uns des meilleurs restaurants du monde et j'y ai mangé simplement un ananas ou des fraises, des pommes de terre au four ou de la salade avec du pain et du beurre. Je sais que ces restaurants ne vont pas disparaître, qu'ils ne vont pas s'envoler. Ils seront encore là demain. Aller au restaurant, ce n'est pas se donner la permission d'arrêter un régime. Comptez le nombre de fois où vous y allez dans une semaine ordinaire. Comptez-les bien, ainsi que toutes les occasions où vous mangez hors de chez vous. Notez-les. Si vous faisiez une exception à chacune de ces occasions, si vous cédiez tout le temps, une seule chose disparaîtrait : ces hanches que vous venez de retrouver. Combien de restaurants valent vraiment le coup de faire un accroc au régime ? Regardez la liste. Pointez-les et prévoyez-les dans votre emploi du temps.

Mais revenons aux jours précis du régime. Il y a quantité de façons d'obtenir de l'ananas dans un restaurant. S'il s'agit d'un restaurant de luxe, téléphonez pour commander votre nourriture du jour. On vous répondra sûrement que cela est possible. Si tel n'était pas le cas, demandez si l'on peut vous servir les aliments que vous apporterez avec vous. Expliquez que vous suivez un régime particulier, que c'est là tout ce que vous avez le droit de manger. Soyez aimable, n'exigez pas et vous obtiendrez ce que vous souhaitez. Bien entendu, proposez de payer le prix du service, ce qu'aurait dû coûter un repas normal. Après tout, il serait présomptueux de penser que l'on peut monopoliser une place dans un restaurant sans payer.

Si vous allez dans un simple snack-bar, expliquez votre situation à la serveuse et offrez de payer. Ayez toujours votre nourriture avec vous. Souvenez-vous : ne soyez ni un martyr, ni une victime.

Quant au restaurant d'entreprise, n'y allez pas pendant les premières semaines du Régime de Hollywood. Faites, comme je vous l'ai déjà conseillé : emportez vos fruits dans des boîtes hermétiques, mangez-les sur votre lieu de travail. Il vous restera ensuite le temps d'aller lécher les vitrines, bavarder avec des copains, remettre du vernis à ongles ou terminer le roman policier qui vous tient en haleine.

N'allez pas au restaurant les mains vides sous prétexte que vous ne voulez pas « frimer » ou attirer l'attention sur vous-même. Ne venez pas vous asseoir devant un café noir, drapé dans le martyre, alors que tout autour de vous vous invite à vous laisser aller. Vous vous sentiriez malheureux, et les gens qui vous entourent se sentiraient mal à l'aise. Ne vous servez pas de l'embarras des autres à vous voir manger du raisin comme d'une excuse pour y renoncer. Et ne dissimulez pas votre nourriture, tout en la picorant furtivement, bouchée par bouchée. Il n'y a là rien de honteux.

Si le sel ne représente pas un gros problème pour vous et si vous n'avez pas trop tendance à gonfler, n'en faites pas un gros problème à l'extérieur. Mais, dans le cas contraire, vous choisirez que votre plat ne soit pas salé. La salade, les steaks, les poissons grillés peuvent ne pas être salés puisqu'on les prépare à la commande. Si vous faites un Mono-Repas, vous mangerez sans doute plus lentement que les personnes qui vous entourent : aussi commandez vos plats de façon à commencer en même temps que les entrées. Vous pourrez toujours commander davantage. Je le répète, ne vous asseyez pas à une table de restaurant avec un sentiment de désolation. Vous avez la permission de faire une deuxième ou une troisième commande. Vous pouvez manger ce que vous voulez. Vous êtes en train de maigrir : en quoi est-ce désolant ?

Manger tout en maigrissant

Quand vous regardez le menu, servez-vous de votre imagination. Ce n'est pas parce qu'il est divisé en « hors-d'œuvre », « plat principal » et « salade » qu'il faut consommer ces plats dans cet ordre.

Votre seul objectif, c'est de manger quand les autres mangent. Une cliente psychiatre se trouvait un soir dans un restaurant de San Francisco, et elle avait prévu un repas Tout-protéine. Elle prit un crabe comme entrée, du poisson blanc au four comme plat principal, et pour dessert alors que son compagnon mangeait de la mousse au chocolat, elle prit des scampis !

Un soir « pommes de terre », à Los Angeles, le serveur m'a présenté une pomme de terre au four à chaque service. Ce que je n'avais pas terminé, il le remportait, et revenait avec une autre, chaque fois que les autres personnes à ma table recevaient un nouveau plat. Il m'a ainsi servi quatre pommes de terre. Rappelez-vous que votre meilleur atout pour perdre du poids, c'est un Mono-Repas. En deuxième position, c'est un Tout-carboné ou un Tout-protéine. Inutile de dire qu'un Repas traditionnel ou une Fausse Combinaison ne représentent aucune garantie.

Un repas Tout-carboné ne présente aucun problème dans un restaurant classique. Il y a toujours de merveilleuses salades. Ma préférée se compose d'épinards, de cresson, d'endives et de champignons.

Comme sauce pour la salade, le plus sûr est de commander de l'huile, du vinaigre et de préparer soi-même l'assaisonnement sans sel. J'emporte souvent ma propre sauce dans une petite bouteille.

Le pain est sur toutes les tables, et, demandez du beurre (non salé). Vous pouvez dans n'importe quel grand restaurant ou modeste bistrot composer un menu avec de la salade, du pain et du beurre, et un dessert, le plus souvent un soufflé au chocolat : c'est un Tout-carboné.

Les restaurants italiens

Le problème, ici, c'est le fromage. Il n'y a aucune place dans votre régime pour le fromage lorsque vous essayez de maigrir. En période d'entretien, toutefois, vous pouvez le réintroduire avec précaution. Souvenez-vous de n'en prendre qu'au dernier repas de la journée, car une fois que le fromage aura franchi vos lèvres, vous avez tué la digestibilité de tout ce que vous mangerez après.

Tout-carboné. Les restaurants italiens sont une véritable partie de plaisir pour ceux qui veulent faire ce type de repas. Pour rafraîchir votre mémoire, un Tout-carboné comporte trois carbonés, dont deux seulement peuvent être des Maxi-carbonés. Vous pouvez toutefois prendre trois plats de pâtes, car elles ne représentent qu'un seul maxi-carboné.

Il existe de nombreuses formules pour préparer les pâtes sans ajouter de protéines : par exemple, *aglio e olio* (ail et huile d'olive), *al burro* (beurre et ail), et avec un grand nombre de légumes, comme les brocolis, les champignons et les asperges. Les choix sont infinis. Pourquoi ne pas essayer trois sortes de pâtes différentes avec trois sauces différentes ? Un de mes soupers de P.D.P (plaisir des pâtes) était le suivant : hors-d'œuvre : *Fettucine al burro ;* plat principal : *vermicelle aglio e olio,* persil frais et champignons ; dessert : spaghetti à la sauce *marinara.* J'ai tout mangé, et je n'ai pas pris un gramme.

Si vous souhaitez un peu de variété au cours de votre repas, offrez-vous des œufs au plat à l'huile d'olive avec de l'ail frais et des champignons, c'est exquis. Ou essayez les courgettes roulées dans la farine et frites.

Méfiez-vous des desserts italiens. La plupart contiennent des protéines : aussi, sauf si vous faites un Tout-dessert, un Repas traditionnel ou une Fausse Combinaison, c'est à proscrire.

Tout-protéine. Les restaurants italiens sont renommés pour leur excellent veau, et l'osso buco est mon plat favori.

201

Le poisson et le poulet sont souvent succulents, également. Il existe de multiples possibilités. Faites simplement attention aux sauces et au fromage. Rappelez-vous que les sauces sont des carbonés et qu'elles ne se mélangent pas avec les protéines.

Les restaurants orientaux

La pire des choses dans un repas oriental est le glutamate. Il provoque un sentiment de vide après un repas chinois, une migraine persistante, et des gonflements. Le glutamate fait réagir négativement notre équilibre chimique.

Le deuxième ennemi dans un restaurant chinois est la sauce au soja, remplie de sodium. Comme ces deux éléments font partie intégrante de la cuisine chinoise, il est difficile d'y échapper. Que faire ? Eviter les restaurants chinois dans la mesure du possible, sinon vous rassurer en pensant que, dans la Combinaison consciente, il n'y a jamais d'interdit et des possibilités de récupération. Ou alors, c'est la moins mauvaise des solutions, choisissez un plat à base de protéines. S'il est accompagné de légumes, il n'y a qu'à les mettre de côté. La présence de légumes, vous vous en souvenez, ne rend pas les protéines indigestes. Mais ce sont les protéines qui empêchent la digestion des protéines. Pas de sauces.

La cuisine japonaise recèle, elle aussi, des pièges, notamment le glutamate et la sauce au soja. Mais vous avez la merveilleuse ressource du tempura, exquis et légers beignets de légumes (je vous en donne d'ailleurs la recette. Attention pas d'œufs dans la pâte à frire !) Je vous recommande aussi le shashimi, assortiment de poissons crus à condition de ne pas l'arroser de sauce (emportez donc une petite bouteille de sauce Mazel dans votre sac).

Rappelez-vous que la base des sauces japonaises est le soja, et que, si vous avez tendance à gonfler, il va se transformer le lendemain en kilos. Demandez-vous toujours « Est-ce que cela en vaut le coup ? », et si la réponse est affirmative, alors mangez et prenez-y du plaisir : demain sera un autre jour, et c'est maintenant que vous pouvez vous régaler, car vous connaissez désormais les secrets de la minceur éternelle.

En conclusion, il ne faut pas que vous considériez qu'un ou des repas au restaurant pose un gros problème. Ce n'en est pas un. Rien ne vous sera servi que vous n'ayez précisément commandé. Votre éventail de possibilités est très large. Je n'ai pas encore trouvé un restaurant qui n'offre un choix suffisant pour pratiquer la Combinaison consciente. Partout vous aurez les éléments pour composer un Tout-carboné ou un Tout-protéines. A vous de choisir suivant votre humeur du jour !

Les voyages et
leurs pièges particuliers

Les adeptes de la Combinaison consciente voyagent pour leur métier — certains souvent et régulièrement, d'autres seulement à l'occasion des vacances. Comme on l'a fait pour les restaurants, il faut intégrer les voyages au Régime de Hollywood. Ils ne doivent pas vous servir d'excuses pour manger n'importe quoi et n'importe comment.

En voyage, emportez une balance avec vous ; rappelez-vous ce qui m'est arrivé à New York. Il existe beaucoup de balances légères et pas chères qui ne prendront guère de place dans votre valise ou votre sac de voyage.

Si vous partez en voiture, c'est facile : emportez vos aliments avec vous. D'une façon générale, les restaurants que vous trouverez arrivé à destination sont bien supérieurs à ceux qui se trouvaient sur votre route. Mais s'il en existe de réputés sur votre chemin et que vous ayez prévu d'y faire une étape, prévoyez aussi d'emporter vos aliments du jour si vous n'êtes pas encore dans une période où vous pouvez faire des choix. Et en avion ? me demandez-vous. Franchement, je ne peux pas comprendre pourquoi quelqu'un qui part en voyage pour affaires ou pour son plaisir devrait démolir son régime en mangeant les repas servis dans les avions. Quelle perte ! Peu importe votre catégorie (première classe, affaires ou économique), l'alimentation des lignes aériennes est toujours la même : pré-cuite, réchauffée au four à micro-ondes, trop salée. Et qui sait combien de temps ces plats ont déjà attendu ! Emportez donc votre repas. Personne ne s'en étonnera autour de vous, croyez-moi. Des noix, des raisins secs, un morceau de poulet enveloppé de papier aluminium se glissent discrètement dans un sac de voyage. Et si vous voyagez autrement qu'en Charter, sachez que, sur la plupart des compagnies aériennes, vous pouvez commander à l'avance — en réservant votre place — un repas à votre convenance. On le fait pour les musulmans, les israélites, les végétariens. Je vous conseille de choisir le menu végétarien (en précisant bien que vous ne voulez pas de fromage).

Comment manger en vacances ?

Si vous êtes chez vous ou en location, vous êtes maîtresse de vos repas. A l'hôtel ou dans un club, arrangez-vous avec la direction pour que vous soient servis les aliments correspondant à votre régime. En excursion, emportez vos provisions. Tout cela est simple. Ayez pour principe de consommer toujours des fruits comme vous l'avez appris.

Ils sont la clé de la minceur éternelle, le réservoir des enzymes vitales. Ne les négligez pas. Rappelez-vous que ces enzymes digèrent ce que vous avez mangé la veille et vous préparent à la journée qui vient. Si vous appliquez la Combinaison consciente en voyage et en vacances comme dans votre vie habituelle, vous n'aurez aucune difficulté à maintenir votre poids. Sur le plan enzymatique, l'ananas, et les fraises (dans cet ordre) sont ce qu'il y a de mieux. Viennent ensuite les pommes, puis tous les fruits neutres (abricots, pêches, nectarines). Et s'il n'y a rien d'autre, vous pouvez vous contenter de pamplemousse ou d'oranges. Par exemple, au petit déjeuner, ces fruits seront meilleurs pour vous que les oranges, lesquelles valent cependant mieux que des croissants et un café au lait.

Les seuls fruits que je vous déconseille sont les melons : ils font gonfler. De même, n'oubliez pas qu'on ne peut manger du raisin et de la pastèque au petit déjeuner que si l'on continue à en prendre tout au long d'une journée.

Faute de trouver des fruits pour le déjeuner, un repas de carbonés, fera toujours l'affaire pour maigrir, quel que soit l'endroit où vous vous trouvez. Une jolie salade, des légumes et même des pâtes ! Un jour FCP (fruit/carboné/protéine) ne pose aucun problème pratique en voyage ou en vacances. Moins vous ferez de mauvaises combinaisons, mieux ce sera. Mais, s'il vous plaît, n'ayez pas peur d'en prévoir quelques-unes. Il est évident que vous ne prendrez pas de poids à chaque fois ; mais au cas où cela arriverait vous connaissez la parade : les correctifs. Si vous faites une mauvaise combinaison pour le petit déjeuner ou le déjeuner, souvenez-vous de vous en tenir strictement aux protéines pour le restant de la journée.

Bien sûr on peut toujours dire : « En vacances pas de contraintes ». Mais réfléchissez : voulez-vous vous trouver dans l'obligation de ranger vos nouveaux vêtements, d'homme ou de femme mince ? Voulez-vous renoncer à cette sveltesse qui a changé votre vie ? Non, n'est-ce pas.

Cependant, en vacances, n'entreprenez pas le Régime Hollywood. Mieux vaut le commencer à votre retour. Un jour d'ananas en skiant ou en visitant les pyramides d'Eygpte me paraît déraisonnable. Ne soyez pas insensé ; ne vous assignez pas des objectifs irréalistes. Contentez-vous de maintenir votre poids, de rentrer chez vous avec le poids que vous aviez au départ. N'est-ce pas un pari suffisant ?

XI

Mes réponses à vos questions

Ces questions sont celles que me posent le plus souvent mes clients. Je ne leur réponds pas simplement par oui ou par non. J'explique toujours pourquoi je leur demande de manger d'une certaine façon, parce que je pense qu'il est important pour eux de comprendre le fonctionnement de ce programme d'alimentation, qui leur servira toute leur vie.

Quel poids vais-je perdre durant les cinq premières semaines ?
Le poids moyen perdu pour une femme est de sept à neuf kilos. Les hommes, ces petits veinards, perdent plus, habituellement entre neuf et quatorze kilos.

Je hais l'ananas. Que dois-je faire ?
Le meilleur substitut à l'ananas est la fraise, mais elle est moins active. Les enzymes spécifiques, hautement concentrées de l'ananas brûlent la graisse. Ils sont le cœur du Régime de Hollywood. Essayez l'ananas. Vous vous mettrez certainement à l'aimer. C'est ce qu'il y a de plus proche de l'aliment miracle.

Puis-je manger juste avant de me coucher ?
Vous pouvez manger n'importe quand, dès que vous ouvrez les yeux jusqu'au moment où vous les fermez.

Dois-je manger la totalité des 250 g de raisins secs ?

Oui, mais vous n'êtes pas obligé de tout manger d'un seul coup. Simplement, il faut finir tous vos raisins avant de manger autre chose. Des quantités précises sont indiquées pour obtenir un résultat nutritionnel précis, et il est donc important de tout manger.

Quelle quantité d'eau puis-je boire ?

Autant que vous voulez. Comme la plupart des fruits que vous mangez contiennent un pourcentage élevé d'eau, vous aurez déjà toute celle qu'il vous faut. A la différence d'un régime riche en protéines, le Régime de Hollywood ne vide pas votre organisme de ces liquides essentiels.

Perdrai-je plus de poids si je mange moins ?

Non. D'abord, vous risquez fort de diminuer l'action enzymatique de l'aliment que vous mangez. Ensuite, si vous mangez moins, vous aurez faim, ce qu'il faut éviter à tout prix. Rappelez-vous que vous perdrez du poids en nourrissant votre corps, non en l'affamant. Si vous ne mangez pas, vous ne maigrirez pas.

Ne me sentirai-je pas fatigué avec ce régime ?

Au contraire, vous aurez sans doute plus d'énergie que vous n'en avez jamais eu dans votre vie. Comme le Régime de Hollywood est centré sur des aliments riches en énergie et développe au maximum leur efficacité, c'est un mode d'alimentation particulièrement énergétique. Beaucoup de mes clients ont moins besoin de sommeil que par le passé. Ce sera sans doute votre cas.

Ne vais-je pas passer mon temps aux toilettes après avoir mangé tous ces fruits ?

Ce serait à souhaiter, mais cela ne sera sans doute pas le cas. La diarrhée n'est pas une conséquence obligatoire de la consommation des fruits. Par ailleurs, comment pensez-

vous que la graisse quitte votre corps ? Elle n'est pas proje-
tée magiquement dans le cosmos. Le Régime de Hollywood
brûle, nourrit et nettoie. Souvenez-vous aussi que la quatrième étape dans la digestion, c'est l'élimination.

*Je dois préparer les repas pour ma famille. Puis-je au moins
goûter ce que je prépare ?*

Non. Chaque bouchée a son importance, croyez-moi. Ce
ne sont pas les occasions exceptionnelles ou les grands repas
qui font grossir, mais plutôt le fait de picorer et de goûter
des plats en les préparant. Pensez à votre organisme comme
à un moteur. En mettant la clé de contact vous faites
démarrer votre voiture pour une seconde comme pour une
heure. C'est la même chose avec le système enzymatique de
votre corps. Il est totalement activé, que ce soit par une
simple bouchée ou par tout un repas.

Que se passera-t-il si je triche ?

Ce n'est pas la première fois, et ce ne sera pas la dernière.
C'est pourquoi j'ai mis au point les correctifs alimentaires.
Ne vous tracassez pas excessivement, ou, mieux encore,
donnez-vous la permission de commettre n'importe quelle
folie. Puis référez-vous aux correctifs, et faites le nécessaire
pour perdre tout gain de poids. N'en exagérez pas l'importance. Au contraire, pensez à toutes les fois où vous n'avez
pas triché.

*Si le sucre est si mauvais, selon vous, pourquoi nous conseiller
les fruits, qui en contiennent tant ?*

C'est une sorte de sucre totalement différente. En quantité et en qualité, il n'y a rien de commun entre ce que nous
appelons habituellement le sucre et le glucose qui vient des
fruits. L'alimentation apporte deux choses : des éléments
nutritifs et de l'énergie. Les fruits font les deux. Ils appor-

tent une énergie instantanée extrêmement riche, et ils nous nourrissent avec des sels minéraux et des vitamines. Les sucres, comme les bonbons, dont le constituant de base est le sucrose, apportent bien de l'énergie, mais ils sont pratiquement dépourvus d'éléments nutritifs, car ils ne contiennent pas de sels minéraux ni de vitamines. En fait, au cours de l'assimilation dans l'organisme, ces sucres emportent avec eux les éléments nutritifs essentiels.

Alors pourquoi le sucre raffiné est-il permis malgré tout ?

Bonne question. Le sucre, le sel et les additifs alimentaires sont nos trois ennemis les plus acharnés. Mais qui parmi nous pourrait abandonner définitivement quelque chose qu'il aime, même en sachant que c'est nocif ? Le problème de beaucoup de régimes, c'est qu'ils comportent trop d'interdits : le fait de devoir renoncer à une chose la rend beaucoup plus désirable.

Mon espoir est que votre prise de conscience et votre sensibilité alimentaire vous permettront de décider de ne plus manger de sucre, ou encore, d'en faire une exception plutôt qu'une habitude. Non parce qu'il n'a pas bon goût, mais parce que vous ne le trouvez pas bon.

L'objectif, en somme, est d'être capable de manger un peu de sucre et aussi d'y renoncer. Après tout, c'est pourquoi les correctifs existent : apprendre à transformer le négatif en positif.

Tout cela a l'air terriblement compliqué. Comment vais-je faire pour trouver des fruits exotiques ?

Si vous habitez une grande ville, ils sont facilement disponibles. Quelques-uns ne le sont peut-être pas dans tous les supermarchés, mais il existe des « fruits et primeurs » dans la plupart des localités. Et votre épicier habituel vous fournira aussi facilement des ananas que des pommes ou des oranges.

Pourquoi préciser « fruits secs » au lieu de « fruits frais », s'il faut de toute façon rajouter du liquide ensuite ?

Vous ne remplacez qu'une partie de l'humidité, et donc vous rendez les fruits secs partiellement moins concentrés, juste assez pour permettre à votre organisme de les digérer complètement. Les fruits secs ont une concentration de sels minéraux bien plus élevée que les fruits frais, jusqu'à six fois plus.

Pourquoi puis-je mettre du beurre sur les pommes de terre et pas sur le popcorn ?

J'ai fait figurer le popcorn dans le régime pour sa capacité à nettoyer les intestins. Le beurre limite cette fonction en prolongeant le temps de passage du popcorn dans l'estomac.

Au secours ! J'ai des boutons.

Ne vous tracassez pas : cela veut dire que vous vous désintoxiquez. La peau est l'un des lieux de passage utilisés par l'organisme pour éliminer les surplus. Si vous avez des éruptions, cela signifie que votre peau élimine les toxines emmagasinées dans votre corps. Sachez que ces éruptions cutanées ne sont que temporaires. Ensuite votre teint sera infiniment éclatant. Votre nouvelle santé se lira sur votre peau. C'est l'une des conséquences étonnantes de ce nouveau mode d'alimentation.

N'est-ce pas une façon ruineuse de se nourrir ?

Non. Vous pouvez reculer devant le prix d'une papaye, par exemple, mais quand vous ferez l'addition de ce que vous coûte quotidiennement le Régime Hollywood et que vous la comparerez à un jour d'alimentation « traditionnelle », vous découvrirez que vous dépensez beaucoup moins.

Une de mes collaboratrices, qui suivait le Régime de Hollywood, a comparé les coûts sur trois mois avec les deux amies qui partagent son appartement. Elle a découvert que son budget alimentation était de 20 % moins élevé que celui de ses amies.

Pourquoi le Régime Hollywood devrait-il me réussir alors que tous les autres régimes ont été pour moi des échecs ?

Parce que ce régime est réaliste. A la différence des autres, il ne vous oblige pas à vous limiter indéfiniment à une liste précise et à une quantité déterminée d'aliments. Au contraire. Il vous permet de construire un univers à partir de ce que vous préférez. C'est vous qui, fondamentalement, fabriquez votre régime. Vous ne suivez pas *mon* régime : vous avez simplement adopté ma méthode à *votre* régime.

Pourquoi les autres régimes ne marchent-ils pas ?

Principalement parce qu'ils comportent trop d'interdits. Quand on interdit des aliments, qu'on en restreint la quantité, on commence bien sûr par maigrir. Mais cela ne dure pas, car l'on ne peut vivre ainsi longtemps. Comment un steak de 100 grammes pourrait-il vous nourrir ? Une demi-cuillerée de fromage blanc vous satisfaire ? Allez-vous vraiment être heureux en mangeant des carottes et du céleri jusqu'à la fin de vos jours ? Honnêtement, seriez-vous ravi de ne plus jamais goûter au pain et au beurre, aux glaces, aux gâteaux ou aux pizzas ? Les autres régimes vous laissent en état de manque. Ils ne sont et ne peuvent être un mode de vie.

Qu'en est-il du jus d'orange ? Je croyais que c'était une bonne chose ?

Il existe beaucoup d'autres fruits qui contiennent bien plus de vitamines C que l'orange, notamment les fraises, les mangues ou les papayes. Sur le plan digestif, les agrumes ont peu d'enzymes efficaces et très peu de fibres. Il ne faut en prendre que si l'on n'a rien d'autre, et le matin seulement. J'ai fait beaucoup d'essais avec les agrumes, et les résultats sont nets : non seulement ils ne vous feront sans doute pas maigrir, mais ils sont susceptibles de vous faire grossir.

Que dois-je manger si je suis malade ?

En cas de maladie, faites ce que vous ordonne votre médecin. En tout cas, les fruits riches en vitamines A et C, seront sûrement meilleurs pour votre santé que les traditionnels aliments de malades, comme le bouillon de poulet ou de légumes.

Je dois me faire opérer. Dois-je prendre des précautions alimentaires particulières ?

Le plus important est de manger exactement ce que dit votre médecin. Souvenez-vous qu'il y a cinq moments de la vie où les besoins en protéines sont élevés : pendant l'enfance, après soixante-cinq ans, en cas de grossesse, en cas d'alimentation au sein, et avant et après une opération.

En raison de votre besoin croissant de protéines à ce moment, je vous recommande des protéines trois fois par jour (PPP), plusieurs jours avant et plusieurs jours après l'opération. En choisissant un menu à l'hôpital, précisez sans sel. Mais voyez d'abord ce point avec votre médecin.

A quelle vitesse vais-je perdre du poids ?

Tout le monde a un rythme différent, mais l'amaigrissement moyen pour le régime de cinq semaines s'équilibre à peu près. Des clients ont perdu jusqu'à sept kilos la première semaine. L'important n'est pas le volume que vous perdez en un temps donné, mais ce que vous allez perdre réellement.

Ceux qui maigrissent le moins vite ont des systèmes complètement engorgés de sel, de produits chimiques et de sucres. C'est là la combinaison la plus difficile à brûler pour les enzymes. Mais, en fin de compte, ils maigrissent aussi.

Puis-je prendre du poisson et de la viande au même repas ?

Oui. La seule protéine que vous ne puissiez pas combiner avec une autre, c'est celle des noix. Et combiner des produits laitiers avec des protéines animales ne doit être qu'une exception.

Si je ne mange pas de produits laitiers, d'où vais-je tirer le calcium ?

Il existe du calcium dans à peu près tout ce que vous mangez. Il n'y a pas autant de calcium qu'on le pense dans les produits laitiers, car une grande partie n'est pas digeste. Deux cuillerées de graines de sésame prises chaque matin, contiennent plus de calcium que deux verres de lait — et elles sont mieux utilisées par votre organisme car elles sont plus vite digérées.

Combien de protéines puis-je prévoir pour une semaine normale ?

Au moins quatre ou cinq repas doivent comporter des protéines. N'oubliez pas que les noix et les avocats sont des protéines. N'oubliez pas non plus que les protéines bâtissent votre corps. Beaucoup de nutritionnistes pensent que les protéines tiennent une trop grande place dans l'alimentation actuelle. C'est aussi mon avis. Idéalement, il faut manger environ 50 % d'hydrates de carbone, 30 % de graisse et 20 % de protéines.

Que penser des bouillons-cubes et des potages en sachet ?

Ils sont remplis de sel et composés en général à partir de résidus de poulet ou de bœuf, et ne peuvent donc être considérés comme de la nourriture vivante ni comme une base pour préparer une soupe de légumes. Toutefois, il existe de bons potages de légumes dans les magasins diététiques.

Quel rôle joue la farine dans le Régime Hollywood?

C'est un carboné, et elle ne se combine réellement qu'avec d'autres carbonés. La farine blanche est la moins bonne, car c'est la moins nutritive. Elle est toujours sans son et sans germe. Vous trouverez sans doute de la farine complète de froment, qui est parfaite pour faire la pâtisserie. Choisissez aussi des pâtes à base de farines complètes. Elles existent dans les mêmes formes et les mêmes variétés que les autres.

Ma bouche est irritée quand j'ai mangé de l'ananas. Quelle en est la raison, et que dois-je faire?

Il peut y avoir plusieurs explications. Le plus souvent, l'ananas n'est pas mûr, ou encore vous avez mâché les « yeux » que contient la chair, ou un morceau de l'écorce, même si l'écorce n'a fait que toucher votre bouche. Si cela vous arrive, rincez votre bouche.

Une déficience en vitamine B se manifestera aussi par une irritation de la bouche. Cet inconvénient disparaîtra lorsque la levure fera partie de votre régime quotidien.

Dois-je prendre les compléments même une fois que j'ai terminé la deuxième étape et que je suis en période d'entretien?

Oui, il faudra toujours les prendre. Le son est nécessaire pour ses fibres. La levure conserve votre équilibre en vitamines. Et les graines de sésame apportent du calcium, trois acides gras essentiels, et un supplément de fibres.

Puis-je prendre la levure en pilules?

Non. Mon expérience m'a prouvé que ne fait de l'effet que la levure en poudre. Son goût est acceptable. Ajoutez-y un peu d'eau pour obtenir une consistance rappelant celle du beurre et mangez-la à la cuillère. C'est comme ça que je l'aime.

Que puis-je boire ?

De l'eau, du café, du thé et de l'eau non minérale en quantités illimitées. Vous pouvez boire aussi du vin avec des fruits ; les autres alcools et la bière avec les carbonés. Aucun alcool ne se combine avec les protéines.

Ne buvez jamais de sodas, qui sont pleins de produits chimiques et de sodium. Une bouteille peut en contenir jusqu'à 125 milligrammes, plus que dans une livre de porc frais !

Que faire si je meurs de faim au milieu de la nuit ?

Mangez exactement ce que vous avez pris avant d'aller vous coucher. Conservez donc toujours des restes de votre dernier repas.

Quand dois-je commencer le « jour suivant » ?

Un nouveau jour commence quand vous avez dormi au moins cinq heures. La glande thyroïde, la plus importante dans le processus métabolique, est plus active durant le sommeil. La plupart des hormones sont secrétées durant cette période.

J'ai toujours pensé que les fruits faisaient grossir.

C'est parce qu'on les mange au dessert. Les fruits, rappelez-vous, ne peuvent être digérés si on les consomme après d'autres aliments.

Que se passe-t-il si le Régime Hollywood ne marche pas pour moi ?

Ne vous tracassez pas. Il va marcher. Comme il a marché pour tout le monde. Tous mes clients ont eu cette crainte car c'est un mode d'alimentation totalement nouveau. Ils ont été rapidement rassurés.

Je déteste les fruits.

Avez-vous déjà mangé un ananas mûr ? Ou une mangue ? Si vos expériences dans ce domaine se limitent aux pommes et aux oranges traditionnelles, alors il faut essayer tous les autres fruits. S'il s'avère que vous ne pouvez décidément pas en avaler, alors ce régime n'est pas pour vous.

N'est-il pas malsain de vivre sans protéines ?

Les seules protéines dont vous allez manquer sont les protéines animales, et pendant une courte période uniquement. Il y a toujours un peu de protéines dans à peu près tout ce que vous mangez. Un jour de pastèque, par exemple, vous retirez environ 35 grammes de protéines par fruit. Par ailleurs, des civilisations entières ont vécu en pleine santé sans jamais manger de protéines animales.

Quelles raisons médicales s'opposent à ce régime ?

En cas d'hypoglycémie, d'ulcères, de diabète, de colites et de spasmes du côlon, ou de tout autre trouble gastro-intestinal grave. Si vous êtes enceinte ou que vous nourrissez un enfant au sein, alors, désolée, ce régime n'est pas pour vous. Bien sûr, avant de commencer n'importe quel régime, il faut passer une visite médicale complète et obtenir l'accord du médecin.

Que se passe-t-il si je maigris trop ?

Il est indispensable de suivre intégralement les trois premières semaines de Régime de Hollywood et de désintoxiquer complètement votre organisme. Si vous deveniez réellement trop maigre, vous auriez la chance et le plaisir de pouvoir regrossir ensuite. Si, à la fin de la première semaine, vous avez atteint votre objectif, vous pouvez sauter la deuxième semaine et aller directement à la troisième.

Quand saurai-je si j'ai assez maigri ?

Votre meilleure amie, la balance, vous le dira. Ne vous reposez pas sur votre seul miroir, et ne succombez pas à la tentation d'écouter vos amis. Ils ont l'habitude de vous voir gros, et toute perte de poids visible les impressionnera. Seul vous-même (et votre balance) pouvez faire une estimation correcte.

Quand j'ai décidé de suivre le régime, je pensais que 47,5 kilos seraient un poids idéal. Une fois ce poids atteint, je me suis mise à me dire : « Eh bien, si je pouvais encore perdre un kilo et demi ». J'ai dû atteindre 44 kilos avant d'être tout à fait convaincue que je serais mieux à 46 kilos. Et quel plaisir de reprendre deux kilos ! De même que vous avez besoin de ressentir ce que vous ne voulez plus être, de même il faut ressentir ce que vous voulez être. Vous ferez des essais pour trouver votre poids idéal.

Faites-vous toujours des accrocs au régime ?

Bien sûr, et c'est là toute la beauté de mon régime. Ce que j'ai appris, toutefois, c'est à établir des discriminations. J'aime toujours les pizzas, les gâteaux au fromage, les crêpes, les grillades de porc et les frites, mais, maintenant, je prends ce que je sais être pour moi le meilleur. Si je ne peux pas avoir le meilleur, je ne me tracasse pas. Et, quand je m'autorise un accroc, je sais que je dispose des correctifs et que je vais m'en servir.

Que se passe-t-il si je n'attends pas deux ou trois heures avant de manger des aliments différents ?

Vous prendrez probablement du poids.

Que mangez-vous ?

Les fruits constituent le principal de mon repas : je commence pratiquement chaque jour avec eux. Mais je mange rarement des fruits toute la journée. A déjeuner, je prends souvent un carboné ou davantage de fruits. Mon dîner est généralement un repas libre, avec des carbonés ou des protéines.

Je ne peux pas croire que je ne grossirai pas si je mange à satiété. Je suis un gros mangeur.

J'ai franchement du mal à imaginer que l'on puisse manger plus que moi. Au début, beaucoup de mes clients éprouvent cette crainte, mais quand on mange une seule sorte d'aliments, il est presque impossible d'en manger trop. Une femme avait mangé 36 kiwis et 2 ananas. Elle n'a pas maigri, mais elle n'a pas grossi non plus. Par ailleurs, n'oubliez pas que le but du Régime de Hollywood est de nourrir votre organisme, non de l'affamer.

Je suis un traitement médical. Dois-je l'arrêter ?

N'arrêtez pas un traitement prescrit par votre médecin. Il faut toujours observer les prescriptions médicales.

Que dois-je faire contre la migraine ?

D'abord, essayez de manger. Les migraines sont souvent un signe de faim. Si elles apparaissent les premiers jours du Régime de Hollywood, c'est peut-être le signe que votre organisme se désintoxique. Cela va disparaître. S'il vous faut absolument prendre une aspirine, allez-y, mais essayez de résister. Vous survivrez.

Est-ce que je peux utiliser un déodorant buccal ?

Malheureusement, les déodorants et autres bonbons contre la mauvaise haleine sont pleins de produits chimiques, de sucre et de sodium. De toute façon avec la Combinaison consciente, vous n'aurez plus besoin de ce genre de camouflage : vous aurez naturellement l'haleine fraîche.

Qu'en est-il des diurétiques ?

S'ils vous ont été prescrits par un médecin, continuez à les prendre. Si, au contraire, vous en preniez pour maigrir arrêtez-les. Le Régime de Hollywood comporte des diurétiques naturels, utilisés aux bons moments de votre planning d'amaigrissement. Les cachets priveraient votre organisme d'éléments nutritifs importants.

N'y a-t-il aucune limite à la quantité d'huile consommable ?

Non. L'huile est un corps gras, et à ce titre se digère en compagnie de n'importe quoi. Elle apporte aussi à votre corps les trois acides gras que l'organisme ne produit pas lui-même.

En faisant chauffer l'huile, ne détruit-on pas l'enzyme importante, la lécithine ?

Si. Utilisez le minimum d'huile pour la cuisson ; si vous mettez de l'huile pour le goût, ajoutez-la après la cuisson. En fait, l'huile ne devrait jamais être chauffée, car la chaleur détruit ses propriétés.

Vais-je perdre plus de poids en ne mangeant que des fruits ?

Non. L'être humain ne vit pas que d'ananas. Une fois que votre corps est nettoyé, le bon équilibre entre tous les genres d'aliments, la combinaison d'éléments nutritifs de différentes provenances, vont vous permettre d'atteindre l'amaigrissement maximum.

Quels sont les plus gros problèmes rencontrés par vos clients ?

Manger insuffisamment la première semaine. Il est difficile de renoncer à l'idée que régime est synonyme de privation et de faim. Mes clients ne comprennent pas encore que le processus de brûler, nourrir et nettoyer ne peut se faire qu'en alimentant leur corps. Il faut du temps pour admettre le pouvoir des enzymes. Ils ont aussi des difficultés à renoncer au contrôle de la chose la plus importante de leur vie : la nourriture.

En cas de nécessité, puis-je intervertir l'ordre des jours du Régime ?

Non, pas pendant la période de cinq semaines. Souvent, c'est la combinaison des aliments de deux jours consécutifs qui rend le menu du troisième efficace. Les aliments sont donnés dans un ordre particulier pour des raisons particulières. Ne détraquez pas l'équilibre des enzymes. Ce n'est qu'un jour dans toute une vie.

Qu'en est-il de ces gens qui font sans arrêt toutes sortes de mauvaises combinaisons et pourtant ne grossissent pas ?

Observez-les attentivement. Ils sont différents. Je pense qu'il y a souvent des moments où ils oublient tout simplement de manger. Quelque chose que nous, les gros mangeurs, ne faisons jamais. Et quand ils mangent, ils le font avec modération, sachant quand trop c'est trop. Quelque chose que nous, les gros mangeurs, ne savons pas.

Pour une raison ou une autre, leur organisme ne transforme pas leur alimentation en graisse. Mais, encore une fois, ils n'aiment pas la nourriture comme nous. Lorsque la nourriture est dans leur bouche, leurs cœurs ne chantent pas et leurs âmes ne s'épanouissent pas. Ils n'ont pas cette chance. Je serais plutôt enclin à penser que beaucoup d'entre eux ont des indigestions provoquées par leurs mauvaises combinaisons : cela ne se manifeste pas par l'obésité, mais d'une autre manière.

Achevé   Imprimerie
d'imprimer Gagné Ltée
au Canada Louiseville